Michael Walzer
EXODUS UND REVOLUTION
Rotbuch Rationen

Michael Walzer

EXODUS UND REVOLUTION

Aus dem Amerikanischen von
Bernd Rullkötter

Rotbuch Verlag

1. Auflage 1988

Originaltitel: Exodus and Revolution

Umschlaggestaltung: Michaela Booth
Gesamtherstellung: Wagner GmbH, Nördlingen
Printed in Germany.
ISBN 3 88022 733 0

Inhalt

Für Martin Peretz

Vorwort

Dies ist ein Buch über eine Vorstellung von großer Wirksamkeit und Kraft im westlichen politischen Gedankengut, die Vorstellung einer Rettung von Leid und Unterdrückung: einer diesseitigen Erlösung, Befreiung, Revolution. Ich habe mich bemüht, die Ursprünge jener Vorstellung in der Geschichte der Befreiung Israels aus Ägypten zu beschreiben und dann eine Auslegung der Bücher *Exodus, Numeri* und *Deuteronomium* zu geben, die ihre Bedeutung für Generationen religiöser und politischer Radikaler erklären soll. Die Flucht aus der Knechtschaft, der Zug durch die Wüste, der Bund am Berge Sinai, das Gelobte Land – sie alle spielen im revolutionären Schrifttum eine maßgebliche Rolle. Man hat sich die Revolution sogar häufig als eine Darstellung des Exodus und den Exodus als ein Programm für die Revolution vorgestellt. Diesen Vorstellungen will ich nachgehen; denn sie erhellen (ohne allerdings die ganze Wahrheit preiszugeben) ebenso die alten Bücher wie auch die charakteristisch modernen Formen politischen Handelns. Deshalb bewege ich mich hin und her zwischen der biblischen Erzählung (sowie den entscheidenden Kommentaren) einerseits und den Traktaten und Abhandlungen, den Parolen und Liedern radikaler Politik andererseits. Ich bewege mich also zwischen einem Forschungsgebiet, auf dem ich Amateur und Neuling bin, und einem anderen, auf dem ich bereits einige professionelle Erfahrung habe, hin und her. Ich hoffe, daß die Begeisterung des Amateurs und die Zurückhaltung des Fachmanns einander einigermaßen ausgleichen werden. Aber wenn ich mich schon irren sollte, dann lieber auf seiten der Begeisterung. Von einer sorgfältigen Untersuchung des Exodus können wir nämlich immer noch eine Menge lernen.

Ich beabsichtige nicht, eine Geschichte der Befreiungsidee, sondern eine Studie ihrer Bedeutung vorzulegen. Dieser Bedeutung kommt man am nächsten, wenn man den vielen Befürwortern und

Aktivisten der Befreiung nacheifert, die ihre Anhänger um sich versammelten und die biblische Geschichte lasen. Sie lasen und erläuterten und interpretierten die Geschichte, denn jede Lesung ist auch eine Nachbildung, eine Neuschöpfung der Vergangenheit um der Gegenwart willen. Aber weshalb wird diese Geschichte immer wieder von neuem geschaffen? Genau das habe ich zu erklären versucht.

Die meisten dieser Nachbildungen sind das Werk religiöser Männer und Frauen gewesen, die in dem Text nicht nur ein Verzeichnis von GOTTES Taten in der Welt, sondern auch eine Anleitung für Sein Volk – also für sich selbst – fanden. Vielleicht waren sie im Irrtum, aber es steht mir nicht an, ihre Meinung in Zweifel zu ziehen. Innerhalb der heiligen Geschichte des Exodus entdeckten sie eine lebhafte und realistische weltliche Geschichte, die ihnen half, ihre eigene politische Aktivität zu verstehen. Ich werde diese Entdeckung nachvollziehen. Ich habe nicht vor, das Heilige herabzusetzen, sondern nur, das Weltliche zu erforschen. Mein Thema ist nicht, was GOTT getan hat, sondern was Männer und Frauen getan haben, zuerst im biblischen Text selbst und dann, mit dem Text in der Hand, in unserer Welt.

Ich habe fast ausschließlich mit englischem Material gearbeitet. Zwar bin ich dem Hebräischen der biblischen Bücher, nicht aber dem des Midrasch oder der mittelalterlichen jüdischen Kommentare gewachsen. Zum Glück liegt ein großer Teil der letzteren Werke nun in Übersetzungen vor, darunter der gesamte *Midrasch Rabbah*, der *Mekilta De-Rabbi Ischmael* (ein Kommentar zu *Exodus* 12-23), Raschis Anmerkungen zu dem biblischen Text und die Kommentare von Nachmanides. Bei meiner Verwendung nicht übersetzten Materials habe ich mich auf Louis Ginzbergs *Legends of the Jews* sowie auf Nehama Leibowitz' ausgezeichnete *Studies in Exodus, Studies in Numbers* und *Studies in Deuteronomy* verlassen. Ich bin sicher, sehr viel übersehen zu haben – nicht nur, was altertümliche und mittelalterliche Bücher, sondern auch, was die Arbeit zeitgenössischer israelischer Gelehrter betrifft. Aber irgendwann hätte ich die Interpretationen anderer ohnehin beiseite legen und den Text und seine politische Verwendung direkt behandeln müssen. Damit begann ich übrigens schon vor langer Zeit, denn mein Bar-Mizwa-Stück war *Ki Tissa* (*Exod.* 30,11-34, 35) mit der Geschichte vom Goldenen Kalb, und ich machte mir damals Sorgen, wie viele gebildetere Leser vor mir, um Mosis Befehl, die Götzenanbeter zu töten. Damals schloß ich mich Hobbes' Meinung an (wie sie in Aubreys *Lives* dargestellt wird) und debattierte mit meinem Lehrer »gegen Mosis Grausamkeit, weil er so viele Tausende hinrichten ließ«.

Diese Erörterung will ich jetzt fortsetzen, wenn auch nun in einem weiter gespannten Rahmen.

Ich kann nicht behaupten, ein Kenner alter Sprachen zu sein, doch das Unvermögen, den präzisen Sinn diesen oder jenen Wortes zu erfassen, hat die befreiende Vision der Exodus-Geschichte noch nie verdunkelt (und wird es auch jetzt nicht tun).

Ich las den biblischen Text zum erstenmal im Jahre 1948 zusammen mit Rabbi Hayim Goren Perelmuter, einem Lehrer von beispielhaftem Verständnis und ansteckendem Enthusiasmus. Unsere Diskussionen, mit denen dieses Buch eine Art Anfang nahm, sind mir immer noch gegenwärtig. Sein nicht so ferner Ursprung liegt in drei Vorlesungen, die ich im Jahre 1983 am Gauss Seminar der Princeton University hielt, und ich bin Joseph Frank, der das Seminar leitete, für seine Ermutigung und Unterstützung dankbar. Ich wiederholte die Vorlesungen dann an der City University von New York (unter der Schirmherrschaft des Center for Jewish Studies) und an der Indiana University (in Form der »Patten Lectures«), und ich las eine Fassung des zweiten Kapitels an der University of Chicago und an der Hebräischen Universität in Jerusalem. Bei all diesen Gelegenheiten gab es lebhafte und hilfreiche Diskussionen; ich habe versucht, einige dieser Beiträge in das Buch aufzunehmen oder auf sie einzugehen, insbesondere die Argumente von Marshall Berman, Theodore Draper, Jerrold Siegel und Bernard Yack.

Aaron Wildavskys *The Nursing Father: Moses as a Political Lea-*

der (Alabama, 1984) erschien zu spät, als daß ich es hier hätte zitieren können, aber ich las einen frühen Entwurf und lernte aus ihm. Ich habe mich ausgiebig zweier meiner eigenen Artikel bedient, die den zentralen Themen dieses Buches gewidmet sind; beide wurden im Jahre 1968 veröffentlicht, der eine in der *Harvard Theological Review*, der andere in der Harvard-Hillel-Zeitschrift *Mosaic*.

Moshe Greenberg, David Hartman, Irving Howe, Seth Schein, Judith Walzer, Sally Walzer und Leon Wieseltier lasen das gesamte Manuskript in verschiedenen Fassungen und reagierten mit detaillierter Kritik und zahlreichen Anregungen, von denen ich einige klugerweise akzeptiert habe. Ich schrieb das Buch im Institute for Advanced Studies, dessen Fakultät und Mitglieder ein stets verfügbares Publikum, eine entscheidende Quelle von Ideen, Hinweisen und Mahnungen bildeten. Lange Spaziergänge und Gespräche mit Allan Silver, der im Jahre 1982/83 am Institut war, trugen dazu bei, dem Buch seine jetzige Gestalt zu geben.

In den letzten Jahren habe ich in den Vereinigten Staaten und in Israel über den Exodus gelesen, debattiert und referiert und zu meiner Freude entdeckt, daß die Geschichte selbst in diesen späteren Zeiten immer noch ein Teil unserer gemeinsamen Kultur ist. Zwar hat jeder seine eigene Version, aber es ist eine Geschichte, die wir alle teilen.

Princeton, New Jersey
August 1984

Einführung

DIE GESCHICHTE DES EXODUS

I

Zu Beginn des Jahres 1960 besuchte ich eine Reihe südlicher US-Städte, um über die Sit-ins schwarzer Studenten zu schreiben. Diese Sit-ins markierten – was ich damals allerdings noch nicht wußte – den Anfang des Radikalismus der sechziger Jahre. Und in Montgomery, Alabama, lauschte ich in einer kleinen Baptistenkirche der ungewöhnlichsten Predigt, die ich je gehört habe: über das Buch *Exodus* und den politischen Kampf der Schwarzen in den Südstaaten. Dort, auf seiner Kanzel, stellte der Prediger, dessen Namen ich längst vergessen habe, den »Auszug« aus Ägypten dar und erläuterte dessen moderne Entsprechungen. Er wand sich unter der Peitsche, trotzte dem Pharao, zauderte furchtsam am Roten Meer, stimmte am Fuße des Berges Sinai dem Bund und dem Gesetze zu.[1] Die Predigt traf mich deshalb so, weil ich im Jahre 1960 eine Dissertation über die Puritanische Revolution schrieb und viele Predigten gelesen hatte, in denen das Buch *Exodus* entweder den Zentraltext bildete oder ständig herangezogen wurde. Mehr noch, in einer langen Rede, mit der Oliver Cromwell die erste Sitzungsperiode des ersten gewählten Parlaments unter seinem Protektorat eröffnete, beschrieb er den Exodus als »die einzige Parallele von GOTTES Umgang mit uns, die ich in der Welt kenne...« Die Parallele sei noch nicht vollständig: »Wir sind durch die Gnade GOTTES so weit gekommen...«, sagte Cromwell und warnte vor der Rückkehr in die »Knechtschaft unter königlicher Macht« – einer Rückkehr, die sich jedoch vier Jahre später, kurz nach seinem Tode, ereignete.[2] Der Prediger in Montgomery hoffte vermutlich auf eine dauerhaftere Parallele. Ich hoffte mit ihm und beschloß damals, über den Exodus und seine politische Bedeutung zu schreiben.

Seitdem habe ich den Exodus, wie nicht überraschen kann, fast überall gefunden, häufig an ganz unerwarteten Orten. Er spielt eine zentrale Rolle für die kommunistische Theologie oder Antitheologie von Ernst Bloch, ist Quelle und Ursprung seines »Prinzips Hoffnung«[3] (»Wir sind so weit gekommen«, sagte Cromwell, »eine Tür der Hoffnung ist geöffnet...«). Er ist das Thema eines 1926 von Lincoln Steffens publizierten Buches, *Moses in Red:* einer detaillierten Schilderung des politischen Ringens Israels in der Wüste und einer Verteidigung der leninistischen Politik.[4] Er ist von entscheidender Bedeutung für die »Theologie der Befreiung«, die katholische Priester in Lateinamerika entwickelt haben. In den siebziger Jahren wurden die ernsthaftesten und beständigsten Studien zum *Exodus* wahrscheinlich in Ländern wie Argentinien, Peru und Kolumbien durchgeführt. Der argentinische Theologe Severino Croatto schrieb: »Wenn wir den Exodus zu unserem Thema machen, dann deshalb, weil die lateinamerikanische Theologie in ihm einen Brennpunkt... und ein unerschöpfliches Licht findet.«[5] Wo immer Menschen die Bibel kennen und Unterdrückung erleben, hat der Exodus ihre geistige Kraft gestärkt und (zuweilen) ihren Widerstand inspiriert. Unzweifelhaft gehörte der schwarze Baptistenprediger in Montgomery einer langen Tradition an, die bis in die Tage der Sklaverei zurückreicht und nicht nur Hoffnung, sondern auch Frohlocken in sich einschließt:

> Ruft die frohe Kunde über
> Ägyptens dunkles Meer,
> Jehovah hat triumphiert, sein Volk
> ist frei![6]

Aber im Jahre 1960 war es nicht frei, und der Prediger mußte einräumen, daß sich der Exodus nicht auf einmal für immer und ewig vollzieht, daß Befreiung keine Garantie für Freiheit ist – eine Vorstellung, die auch in den frühesten biblischen Interpretationen der Exodus-Geschichte, im *Deuteronomium* und in den *Propheten,* auftaucht. In Wirklichkeit ist die Rückkehr nach Ägypten ein Teil der Geschichte, wiewohl sie im Text nur als eine Möglichkeit existiert. Deshalb kann die Geschichte so oft wiedererzählt werden.

Der Bezug auf den Exodus ist in der politischen Geschichte des Westens (oder wenigstens des Protests und radikalen Trachtens im Westen) so häufig, daß es mir aufzufallen begann, wenn er fehlte – etwa in den Jahren der Französischen Revolution, deren Hauptakteure ebenso entschieden feindselig gegenüber der jüdischen wie gegenüber der christlichen Geschichtsauffassung eingestellt waren. Sie lehnten sie ab, doch nicht, ohne sie zu kennen: Als ein Mitglied des Sicherheitsausschusses verkündete, der Terror müsse »dreißig bis fünfzig Jahre« lang ertragen werden, spielte er damit, wie ich vermute, verdeckt auf die vierzig Jahre der israelischen Wanderung durch die Wüste an (und auch auf die herkömmliche Einschätzung der Gründe für jenen langen Umweg bei einer an sich sehr viel kürzer denkbaren Reise).[7] Vor und nach 1789 jedenfalls ist der Text ein häufiger Bezugspunkt. Er spielt eine prominente Rolle in mittelalterlichen Debatten über die Legitimität der Kreuzzüge. Er ist wichtig für die politische Argumentation des radikalen Mönchs Savonarola, der in den Monaten unmittelbar vor seinem Sturz und seiner Hinrichtung zweiundzwanzig Predigten über das Buch *Exodus* hielt. Er wird in den Pamphleten der deutschen Bauernrevolte angeführt. Johannes Calvin und John Knox rechtfertigten ihre extremsten politischen Positionen dadurch, daß sie aus dem *Exodus* zitierten. Der Text untermauert die radikale Vertragstheorie der hugenottischen *Vindiciae contra Tyrannos* und danach der schottischen Presbyterianer.[8] Er ist, wie ich bereits angedeutet habe, maßgeblich für das Selbstverständnis der englischen Puritaner während der vierziger Jahre des 17. Jahrhunderts sowie der Amerikaner auf ihrem »Gang in die Wüste«. Er ist eine wichtige Quelle ebenso für die Begründung wie für die Symbolik im Verlauf der amerikanischen Revolution und der Errichtung von »GOTTES neuem Israel« an unseren Gestaden. Im Jahre 1776 schlug Benjamin Franklin vor, das Amtssiegel der Vereinigten Staaten solle Moses mit erhobenem Stab und das im Meer ertrinkende ägyptische Heer zeigen; Jefferson dagegen riet zu einem versöhnlicheren Entwurf: der Kolonne der Israeliten, die, geführt von GOTTES Wolken- und Feuersäulen, durch die Wüste marschiert.[9] Die Exodus-Geschichte spielte eine große Rolle in den Schriften des Frühsozialisten Moses Hess, und sie kommt auch, obwohl nur gelegentlich und am Rande, in den politischen Schriften von Karl Marx vor. Und natürlich hat der Exodus stets im Mittelpunkt der jüdischen Religionsphilosophie gestanden und eine Rolle bei jedem der wiederholten Versuche gespielt, eine jüdische Politik zu gestalten, vom Makkabäeraufstand bis hin zur zionistischen Bewegung. Der Zionismus ist manchmal in messianischen Begriffen ausgedrückt worden, die sich sowohl vom Exodus-Denken ableiten als auch in einem Spannungsverhältnis zu ihm stehen. Aber er ist auch ein Ruf nach einem buchstäblichen Exodus – einer Flucht vor Unterdrückung und einer Reise ins Gelobte Land –, und die biblische Erzählung hat ihm einen großen Teil seiner Metaphorik geliefert. Andere nationalistische Bewegungen sind ebenfalls von einer Verheißung beflügelt worden, welche – neben allem anderen – die Idee politischer Unabhängigkeit einzuschließen scheint. Das Buch *Exodus* wurde lebendig in den Händen burischer Nationalisten, die gegen die Briten kämpften, und es ist lebendig in den Händen schwarzer Nationalisten im heutigen Südafrika.[10]

Als ich die Arbeit an diesem Buch begann, lange nach meinem Besuch in Montgomery, hatte ich zunächst vor, die politischen Wurzeln der Exodus-Geschichte darzustellen, die Art und Weise zu beschreiben, wie die Geschichte im Laufe der Jahre benutzt wurde und welchen Zwecken sie diente. Jetzt aber habe ich mich für ein kühneres Unterfangen entschieden und setze mir umfassendere Ziele, als sie in einem rein historischen Bericht möglich wären. Ich möchte die Geschichte nacherzählen, wie sie sich in der politischen Historie abzeichnet, ich möchte den Text im Lichte seiner Interpretationen lesen und seinen Sinn in dem, was er bisher bedeutet hat, entdecken. Ich will deutlich machen, daß es sich beim politischen Gebrauch dieses Textes nicht um Entweihungen, nicht um Erfindungen handelte, jedenfalls nicht um bloße Erfindungen: Der Exodus, wie wir ihn aus dem Text kennen, ist auch im politischen Sinne plausiblerweise als Befreiung und Revolution verstanden worden – obwohl er, im selben Text, *auch* als ein Akt GOTTES erscheint. Croatto fragt: »Haben wir der Tatsache hinreichende Aufmerksamkeit geschenkt, daß das erste, exemplarische Befreiungsereignis, das den GOTT der Erlösung ›offenbart‹, eine politische und soziale Befreiung war?«[11] Ich werde ihr Aufmerksamkeit schenken und den Exodus als ein Paradigma revolutionärer Politik vorstellen. Aber das Wort »Paradigma« muß hier in einem lockeren Sinn verstanden werden; denn der Exodus ist keine Revolutionstheorie, und es wäre wenig sinnvoll, aus der biblischen Erzählung eine Theorie abzuleiten. Der Exodus ist eine Geschichte, eine große Geschichte, die sich in das kulturelle Bewußtsein des Westens einfügte, so daß eine Reihe politischer Ereignisse (verschiedene Ereignisse, aber eine ganz bestimmte Reihe) im Rahmen dieser Erzählung angesiedelt und verstanden werden konnte. Diese Geschichte machte es möglich, andere Geschichten zu erzählen.

Wenn ich zu dem ursprünglichen Text des 2. Buchs Moses zurückkehre, fälle ich kein Urteil über die wirklichen Absichten seiner Autoren und Redakteure, und ich lege mich auf keine spezifische Betrachtungsweise der tatsächlichen historischen Fakten fest. Was geschah wirklich? Wir wissen es nicht. Wir haben nur diese Geschichte, die Jahrhunderte nach den in ihr geschilderten Ereignissen niedergeschrieben wurde. Aber ihre erzählte Geschichte ist wichtiger als die Ereignisse; und die Geschichte ist immer wichtiger geworden, während man sie wiederholte, über sie nachdachte, sie in Diskussionen zitierte und in der Folklore ausmalte. Vielleicht war dies die Absicht der Autoren; jedenfalls drängen sie häufig genug zu ihrer Wiederholung. Der Exodus gehört zu einem Genre religiöser und juristischer Texte, das für eine öffentliche, immer neue Lektüre und für eine analoge Anwendung bestimmt ist. Die Verfasser solcher Texte, wer immer sie sind, können kaum erwarten, scharfe Kontrolle über ihre Bedeutung für nachfolgende Leser auszuüben. Es sei denn, der Verfasser ist GOTT. Aber GOTT selbst hat offenbar beschlossen, keine scharfe Kontrolle auszuüben, und wir müssen daher, in Übereinstimmung mit einer der zentralen Traditionslinien der jüdischen Interpretation, annehmen, daß ER alle Bedeutungen, zu deren Entdeckung ER uns befähigt hat, auch beabsichtigte.[12] Ich werde nur eine dieser Bedeutungen ins Auge fassen, doch sie – Exodus als Revolution – hat seit vielen Jahrhunderten einen festen Platz in der exegetischen Literatur. Sie hat auch eine sichere Grundlage im Wortlaut von *Exodus* und *Numeri.*

Diese Worte werde ich ohne Ausschmückung (vor)lesen, in ihrer Reihenfolge innerhalb der biblischen Erzählung. Das Bemühen moderner Kritiker, erzählerische Traditionen zu entwirren, frühere und spätere Fragmente innerhalb des Textes zu identifizieren, hat meiner Ansicht nach nicht für ein besseres Verständnis der Exodus-Geschichte gesorgt, jedenfalls nicht *der* Geschichte, wie sie immer wieder von neuem gelesen, zitiert und weiterentwickelt wird. Northrope Frye schreibt: »Zu keinem Zeitpunkt wirft (dieses exegetische und textkritische Bemühen) irgendein wirkliches Licht darauf, wie oder weshalb ein Dichter die Bibel lesen würde« – und auch für einen politischen Theoretiker ist diese Textkritik der Schrift nicht hilfreicher.[13] Natürlich wurde der Text auch in der Tradition von Kommentaren und Zitaten, auf die ich mich beziehen werde, in Fragmente aufgeteilt; jeder Satz, jede Wendung wurde als Wort GOTTES aufgefaßt, das unabhängige Interpretationen stützen könne. Aber diese Fragmente wurden gleichzeitig als Teile eines Ganzen begriffen, und wenn wir versäumen, das Ganze zu respektieren, werden wir sehr häufig auch den tiefsten Sinn der Interpretationen nicht zu erfassen vermögen.

Vielleicht sollten wir jedoch frühe und späte Interpretationen voneinander trennen und den ältesten Auslegungen der Geschichte durch die Verfasser des *Deuteronomium* und durch die Propheten besonderen Wert zumessen. Eine Art Prinzip der Nähe scheint hier angebracht zu sein, obgleich man sogleich hinzufügen muß, daß natürlich nicht einmal die frühesten Propheten die Umstände oder die Sensibilität der Menschen teilten, welche zuerst die Exodus-Geschichte erzählten, oder auch nur der Menschen, die sie zuerst niederschrieben; schon die Propheten konnten sich die Erfahrungen, die der Text schildert, nur noch vage vorstellen. Es wäre ein Fehler, jene späteren Leser – wie Savonarola oder Cromwell – abzuwerten, die gewissermaßen mit ihren eigenen ›privaten‹ Motiven an den Text herangingen. Denn sie hätten sich ja auch vielen anderen biblischen Texten zuwenden können; und doch wählten sie diesen, da sie in seinen Worten ein lebhaftes Echo auf ihre eigenen politischen Erfordernisse, ihren eigenen Realismus, ihre eigene Zukunftsvision fanden. Wir können nur danach fragen, ob ihre Interpretationen die Worte der Exodus-Erzählung für uns verständlicher, einleuchtender machen.

Der Exodus ist ein Bericht von Rettung oder Befreiung, ausgedrückt durch religiöse Begriffe – aber er ist auch ein säkularer, das heißt ein diesseitiger, innerweltlicher und historischer Bericht. Vor allem ist er ein realistischer Bericht, in dem Wunder zwar auch eine Rolle spielen, der jedoch, für sich betrachtet, nicht »wunderbar« ist. Wäre die Geschichte gänzlich wunderbar, so hätte die von mir verteidigte Interpretation keinen Sinn. Oder ich müßte die Wunder »durchschauen« und eine vermeintliche menschliche Realität hinter ihnen entdecken, in Anlehnung an den zeitgenössischen Theologen, der schreibt, der biblische Nachdruck auf göttlicher Intervention »ist typisch für die religiöse *Sprache;* dies bedeutet nicht, daß (der Exodus) sich, historisch gesehen, tatsächlich so abspielte«. Der Text teile uns einfach nur mit, daß »ein Befreiungsprozeß, der über alle Umrisse eines politischen Ereignisses verfügt, durchaus als der Wille GOTTES *interpretiert* werden kann – ja, für ein christliches Bewußtsein so interpretiert werden sollte«.[14] Dies scheint mir nicht die beste Strategie für die Auslegung der biblischen Erzählung zu sein; sinnvoller ist es, festzustellen, wo der göttliche Eingriff sich als entscheidend erweist und wo nicht. Die Israeliten werden schließlich nicht auf magische Weise ins Gelobte Land transportiert; sie werden nicht auf den »Adlerflügeln« von *Exodus* 19 getragen; sie müssen durch die Wüste wandern, um dorthin zu gelangen, und ihre Wanderung ist voller Schwierigkeiten, Krisen und Kämpfe, die alle realistisch dargestellt werden, so, als gehe es nicht nur um göttliche, sondern auch um menschliche Lösungen. In einem frühen rabbinischen Kommentar zum *Exodus* wird der berühmte Weise Judah Ha-Nasi mit den Worten zitiert: »Durch die Stärke GOTTES zog Israel fort aus Ägypten, wie es da heißt: ›Durch die Stärke seiner Hand brachte der HERR uns aus Ägypten.‹« Aber es gebe, fährt der Kommentar fort, auch »eine andere Interpretation«: »Dank seiner eigenen Wachsamkeit ging Israel aus Ägypten hinaus, wie es da heißt: ›Und so sollt ihr essen (das Osterlamm), mit gegürteten Lenden, euren Schuhen an den Füßen und eurem Stab in der Hand.‹«[15] Ich neige zu der zweiten Interpretation, obwohl sie in diesem Fall den Text überstrapaziert; ohnehin schließen beide einander nicht aus. Viele Männer und Frauen, die an GOTTES mächtige Hand glaubten, haben trotzdem ihre Lenden gegürtet, die Pharaonen ihrer eigenen Zeit herausgefordert, den Marsch in die Wüste angetreten – und sie begriffen, was sie taten, aus ihrer Lektüre des Buchs *Exodus.* Ich will versuchen, die Geschichte zu verstehen, die sie lasen und einander weitererzählten.

II

Die Geschichte (ich meine nun die ganze Geschichte, nicht nur jenen Teil von ihr, der im Buch *Exodus* enthalten ist) ist eine klassische Erzählung, mit einem Anfang, einer Mitte und einem Ende: Problem, Kampf, Lösung – Ägypten, die Wüste, das Gelobte Land. Meine Kapitel spiegeln diese einfache Struktur wider, wiewohl ich die Geschichte der Jahre in der Wüste teile und zwei Dinge voneinander trenne, die in Wirklichkeit eng miteinander zusammenhängen: das Murren des Volkes in der Wüste und den Bund am Berge Sinai. Aber bevor ich den Anfang betrachte und versuche, die Unterdrückung durch die Ägypter zu verstehen, muß ich etwas über den Charakter und die Kraft der Erzählweise sagen. Denn die Bewegung vom Anfang bis zum Ende ist der Schlüssel zu der historischen Bedeutung der Exodus-Geschichte. Die Kraft der Erzählung beruht auf ihrem Ende, obwohl es auch darauf ankommt, daß das Ende am Anfang als ein Bestreben, eine Hoffnung, ein Versprechen gegenwärtig ist. Was versprochen wird, unterscheidet sich radikal von dem, was ist, denn das Ende hat nichts mit dem Anfang gemein. Dies ist ein offensichtlicher, doch entscheidender Faktor. Der Exodus hat keine Ähnlichkeit mit jenen alten Reiseerzählungen, die immer, welche Abenteuer sie auch enthalten, zu Hause beginnen und enden. Er ist nicht wie die Reise – im 11. Jahrhundert – des ägyptischen Priesters Wen-Amos nach Byblos in Phönizien und dann, nach vielen Schwierigkeiten, zurück (allerdings bricht die Erzählung ab, während er unterwegs ist) zu seinem Tempel in Karnak.[16] Auch kann er nicht als eine Odyssee beschrieben werden, als ein langes Herumirren, wie Homer es nacherzählte, an dessen Ende Frau und Kind (sowie alte Dienerin und treuer Hund) warten. Laut der biblischen Geschichte kehren nur Josephs Gebeine nach Kanaan zurück; für die lebenden Israeliten ist das Gelobte Land eine neue Heimat, und niemand wartet dort, um sie zu begrüßen. In der Literatur des Altertums ähnelt nur die *Äneis* dem Exodus in der Erzählstruktur, da auch sie eine göttlich gelenkte und welthistorische Reise zu einer Art gelobtem Land schildert.[17] Deshalb war die *Äneis* die einzige Rivalin des Exodus, als man über das amerikanische Große Amtssiegel debattierte. Aber Rom unterscheidet sich, obgleich es für Vergil eine »neue Ordnung der Zeiten« repräsentiert, letzten Endes nicht wesentlich von Troja; es ist nur mächtiger. Kanaan ist jedoch genau das Gegenteil von Ägypten.

Die Israeliten wandern nicht in der Wüste umher, wie man manchmal hört, sondern der Exodus ist eine nach vorn gerichtete Reise – nicht nur in Zeit und Raum. Er ist ein Marsch auf ein Ziel zu, ein moralischer Fortschritt, eine tiefgreifende Verwandlung. Die Männer und Frauen, die Kanaan erreichen, sind, im buchstäblichen und übertragenen Sinne, nicht mehr dieselben Männer und Frauen, die Ägypten verließen. Das Thema des Marsches sind die »Kinder Israels«, eine Wendung, die zum erstenmal im ersten Kapitel des Buches *Exodus* benutzt wird. Das Buch *Genesis* ist eine Sammlung von Geschichten über individuelle Männer und Frauen. Es sind zumeist Angehörige einer einzigen Familie, einer Familie zumal, die ein einzigartiges Schicksal hat. Aber im Zentrum der Erzählung stehen Individuen. Das Buch *Exodus* ist im Gegensatz dazu die Geschichte eines Volkes, also nicht nur eine Erzählung, sondern Geschichte.[18] Moses spielt eine wichtige Rolle in dieser Geschichte (allerdings nicht in dem Maße wie in späteren Wiederholungen), aber im Mittelpunkt steht das Volk. Und Mosis Bedeutung ist nicht persönlicher, sondern politischer Art – als Führer des Volkes oder Mittler zwischen dem Volk und GOTT –, denn dies ist eine *politische* Geschichte: über Sklaverei und Freiheit, Gesetz und Rebellion. Wie die Wanderung, die sie beschreibt, hat auch die Geschichte ein Ziel. Es handelt sich, wie William Irvin schrieb, um »Geschichte, die von einem festgelegten Gesichtspunkt aus und mit einem bestimmten Zweck erzählt wird«.[19] Dieser Zweck besteht darin, die Bedeutung der Wanderung und die für ihren Erfolg notwendige Disziplin zu lehren.

Als politische Geschichte mit einer stark linearen Ausrichtung, einer starken Vorwärtsbewegung verleiht der Exodus jüdischen Zeitauffassungen permanente Gestalt, und er dient schließlich auch als Vorbild für nichtjüdische Begriffe. Wir können den Exodus als zielgerichtete Bewegung, als die entscheidende Alternative zu allen mythischen Vorstellungen von ewiger Wiederkehr begreifen – und folglich zu jenem zyklischen Verständnis politischen Wandels, von dem sich unser Wort »Revolution« ableitet. Die Vorstellung ewiger Wiederkehr verbindet die gesellschaftliche mit der natürlichen Welt und verleiht dem politischen Leben die einfache Abgeschlossenheit einer Kreisbewegung: Geburt, Reife, Tod und Wiedergeburt. Dieselbe Geschichte wird immer wieder von neuem aufgeführt; Männer und Frauen und gleichermaßen die jeweils aktuellen Taten von Männern und Frauen verlieren ihre Einzigartigkeit; das eine repräsentiert das andere in einem System von Entsprechungen, das sich hierarchisch aufwärts reckt, hinein in das mythische Reich der Natur und der Naturgottheiten. Die biblische Erzählung im allgemeinen und der Exodus im besonderen brechen entschieden mit dieser Art kosmologischer Erzählweise.[20] In der Exodus-Geschichte finden Ereignisse nur einmal statt, und sie erhalten ihre Bedeutung aus einem System rückwärts- und vorwärtsblickender Wechselbeziehungen, nicht aus den hierarchischen Entsprechungen des Mythos.

Man werfe einen kurzen Blick auf das »Murren«, das ich detaillierter im zweiten Kapitel behandeln werde. Laut einer Zählung (in

Num. 14,22) gab es zehn dieser Fälle, in denen das Volk sich über Moses beklagte und vielleicht gegen ihn rebellierte, obwohl nicht alle mit der einheitlichen Wendung (zuerst benutzt in *Exod.* 15,24) beginnen: »Da murrte das Volk wider Mose ...« Ich vermute, daß die Zahl Zehn jener der Klagen und der Gebote entsprechen soll. Das Muster des Murrens ist stets gleichbleibend und in gewissem Grade stereotyp, doch unterscheidet sich jeder der Vorfälle von allen anderen. Die Sammlung kann plausiblerweise als eine fortschreitende Serie – oder eine verdoppelte Serie – gelesen werden, die in der Geschichte des Goldenen Kalbs und wiederum in der großen Rebellion von *Numeri* 14 ihren Höhepunkt findet. Martin Buber schreibt: »Daß unter diesen Erzählungen manche lediglich ›Doubletten‹, also auf verschiedene Überlieferungen derselben Begebenheit zurückzuführen sind, ist wahrscheinlich ...«[21] Vielleicht, aber die wiederholten Erzählungen führen die Geschichte auch weiter. Zum Beispiel kommt das Volk in *Exodus* 15 nach Mara, drei Tagesmärsche vom Roten Meer entfernt, und findet dort bitteres Wasser vor: »Da murrte das Volk wider Mose und sprach: Was sollen wir trinken?« Einige Wochen später, in Rephidim, gibt es überhaupt kein Wasser: »Und sie zankten mit Mose und sprachen: Gebt uns Wasser, daß wir trinken« (*Exod.* 17,2). »Zankten« ist *vayarev*, das besser als »widersetzten sich« oder »stritten mit« zu übersetzen wäre; der Text vermittelt eine Eskalation von Furcht und Zorn, die eine starke Parallele zu der größeren Gefahr hat. Das Thema der Furchtsamkeit des Volkes – zentral für die Exodus-Geschichte – wird nicht bloß wiederholt, sondern entwickelt und entfaltet.

Gleichermaßen kann man feststellen, daß die Unterdrückung durch Ägypten oder wenigstens nach Art Ägyptens in der umfassenderen Geschichte Israels wieder und wieder vorkommt. Aber diese Wiederkehr wird stets mit moralischen und politischen, nie mit kosmologischen Begriffen erklärt. Sie ist das Ergebnis eines wachsenden Ungehorsams, der von weltlichen Einflüssen herrührt. Wenn die Israeliten in ihrem eigenen Land unterdrückt werden, dann deshalb, weil, wie der Prophet Jeremia ihnen erklärt,

»ihrer Sünden ... zuviel (sind) und sie ... verstockt in ihrem Ungehorsam (bleiben)« (Jeremia 5,6). Unterdrückung ist nicht vorherbestimmt oder unvermeidlich wie herbstliche Vergänglichkeit und winterlicher Tod; sie ist nicht die wiederholte Ausdrucksform eines Charakterfehlers; sie ergibt sich aus bestimmten Entscheidungen, die von bestimmten Menschen getroffen werden – aus einem Versagen moralischer Wachsamkeit, einer halsstarrigen Weigerung, sich an das Haus der Knechtschaft und den Tag der Befreiung zu »erinnern«, aus einer Verletzung göttlicher Gebote.

Die Anziehungskraft der Exodus-Geschichte für Generationen von Radikalen liegt in ihrer linearen Vorwärtsbewegung, in der Vorstellung eines verheißenen Endes, in der Zweckgerichtetheit der israelitischen Wanderung. Die räumliche Bewegung wird nur zu gern als Bewegung von einem politischen Regime zu einem anderen rekonstruiert. (Ich sollte anmerken, daß die gleiche Rekonstruktion wirksam ist, wenn es um persönlichen Wandel geht: etwa in John Bunyans *Pilgrim's Progress*, der Geschichte einer Reise von der weltlichen Stadt durch die Wüste der Welt zu einem Ort namens Jerusalem – und gleichzeitig einer Geschichte der Selbstverwandlung.) Der Positionswechsel ist eine verbreitete Metapher für den Regimewechsel; vieles von der politischen Sprache der Linken hat seinen Ursprung in jener Metapher, nicht nur Schlachtrufe wie *»Marchons!«* oder »Vorwärts!« oder Gedichte wie William Morris' »March of the Workers«:

> Hervor sie kommen aus Kummer und Qual,
> voran sie schreiten zu Gesundheit und Freude,[22]

sondern auch Artikel und Essays über Fortschritt, fortschrittliche Parteien, moderne Ideen, avantgardistische Politik, Revolution (im heute geläufigen Sinne) und Bewegung selbst, etwa »die Gewerkschaftsbewegung« – eine Bezeichnung, die, genauso wie Morris' Gedicht, nichts mit geographischer Mobilität zu tun hat, sondern vielmehr die Organisation der Arbeiter für radikale politische Zwecke beschreibt.

Exodus ist eine buchstäbliche Bewegung, ein Vorrücken durch

Raum und Zeit, die ursprüngliche Form (oder Formel) der fortschrittlichen Geschichte. Dies ist, wie ich sofort einräume, eine revisionistische Ansicht, die ich hier nur vorbringen und nicht verteidigen kann. Wissenschaftler verfolgen die Ursprünge starker Linearität meist bis zu späteren jüdischen und christlichen Eschatologien, bis zu den apokalyptischen Doktrinen Daniels und der Offenbarung des Johannes zurück.[23] Diese Texte setzen sowohl eine kosmische Geschichte, die sich von der Schöpfung zur Erlösung bewegt, als auch eine politische Geschichte voraus, die sich von weltlicher Tyrannei (heute mit jenem zweiten Ägypten, der Babylonischen Gefangenschaft, identifiziert) zum messianischen Königreich hin bewegt. Die beiden Bewegungen und der Enthusiasmus, den sie bei jenen auslösen, die einen Blick auf das Ende der Zeiten erhaschen, lassen sich leicht den melancholischeren Ansichten stoischer Philosophen wie Chrysippus oder politischer Historiker wie Polybius gegenüberstellen, für welche die Welt sich in festen Kreisen dreht und für die kein Wandel je einen echten Fortschritt repräsentiert.[24] Die Keime der Fortschrittsidee des 18. und 19. Jahrhunderts sind ebenfalls in der Wiederbelebung des chiliastischen Gedankenguts im Spätmittelalter und in der frühen Moderne zu finden (im Gegensatz zu der Wiederbelebung des zyklischen Gedankenguts in der Renaissance). Die radikale Politik unserer eigenen Zeit, welche sich die Idee des Fortschritts und die Hoffnung der Erlösung zu eigen macht, läßt sich als säkularer Chiliasmus, als politischer Messianismus identifizieren und bis zu Joachim von Fiore und den chiliastischen Sekten der Reformation zurückverfolgen.[25] Mehr noch, erst in der frühen Neuzeit nimmt das Wort »Revolution« allmählich die Bedeutung an, die es für heutige Streiter hat: die einer einseitigen und endgültigen Umwandlung der politischen Welt. Aber diese Darstellung läßt ein früheres Stadium der intellektuellen Entwicklung und, was wichtiger sein könnte, eine alternative Vorstellung des politischen Wandels aus.

Der Messianismus erscheint spät in der jüdischen Geschichte, und zwar, wie ich meine, mit Hilfe des Exodus-Denkens. Der

Philosoph Saadja Gaon schrieb im 9. Jahrhundert: »Wir beurteilen das Versprechen der endgültigen Erlösung nach dem ersten Versprechen jener Zeit, da wir als Gefangene in Ägypten lebten.«[26] Das Ende der Tage spielt im jüdischen Denken erst einige Zeit nach der Babylonischen Gefangenschaft eine Rolle, aber Mutmaßungen über das Ende blicken, wie Saadja andeutet, stets zurück zu der früheren »Gefangenschaft« in Ägypten. Die endgültige Erlösung ist die Erhöhung der ursprünglichen Erlösung. Ihr gehen in jüdischen Versionen oft ein neuer Exodus, ein zweiter Moses, das Wiedererscheinen von Manna und so weiter voran.[27] Nun wird das göttliche Versprechen jedoch neu interpretiert, als beschreibe es einen »neuen Himmel und eine neue Erde«, nicht das vertraute Land Kanaan, und als biete es Freuden, die noch größer sind – wenn es größere Freuden gibt – als Milch und Honig. Auch im Christentum bemüht man sich, die messianische Geschichte in das Exodus-Muster einzufügen. Das Christkind wird vor einem Kindermord gerettet, so daß Jesus ein neuer Moses und Herodes ein neuer Pharao genannt werden können. Und die entscheidenden Zahlen tauchen von neuem auf: zwölf Jünger, die den zwölf Stämmen entsprechen, vierzig Tage in der Wüste, die den vierzig Jahren entsprechen. Aber der Exodus besitzt auch eine eigene Integrität. Moses ist schließlich kein Messias, sondern ein politischer Führer, dem es zwar gelingt, die Israeliten aus Ägypten herauszubringen, nicht aber, sie ins Gelobte Land zu geleiten. Auch ist das Gelobte Land nicht dasselbe wie das messianische Reich (jedenfalls nicht in dem Sinne, wie das messianische Reich gemeinhin verstanden wird): Der Unterschied zwischen den beiden ist eines der Hauptthemen des vierten Kapitels. Der Exodus ist ein Vorbild für messianisches und chiliastisches Denken und auch eine stetige Alternative dazu – ein weltlicher und historischer Bericht von »Erlösung«, eine Darstellung, welche nicht die wunderbare Verwandlung der materiellen Welt verlangt, sondern GOTTES Volk durch die Welt zu einem besseren Ort in ihr ziehen läßt. Es ist also kein Zufall, daß Oliver Cromwell in der Rede, in welcher er den Exodus als die einzige Parallele in der Weltgeschichte zu GOTTES Umgang mit den Engländern beschwört, ebenfalls entschieden mit der visionären Politik der Fünften Monarchie (der Herrschaft des Königs Jesus) bricht. Cromwell begriff, daß der Zug durch die Wüste nicht mehr verlangte als einen Führer wie ihn selbst.

Der Zug durch die Wüste liegt nicht jenseits der Geschichte; der Führer ist bloß ein Mensch – und zudem ein Mensch mit Beschränkungen, der Aaron benötigt, um für ihn zu sprechen (und Miriam, um für ihn zu singen). Später benötigte er »etliche über tausend, über hundert, über fünfzig und über zehn«, deren Ernennung Jethro empfiehlt, denn »das Geschäft ist dir zu schwer; du kannst's allein nicht ausrichten« (*Exod.* 18,21,18). Niemand hat sich je ähnlich über den Messias geäußert, der, was immer er tut, ohne politische Hilfe vollbringt. Der Exodus ist ein Ereignis, das auf menschliche Maßstäbe eingegrenzt wird, und dadurch findet er nicht nur im Schrifttum des Milleniums, sondern auch in der historischen und politischen Literatur ein Echo. Wenn wir dem Echo aufmerksam lauschen, können wir den Exodus als eine Geschichte radikaler Hoffnung und innerweltlichen Strebens »hören«.

Kapitel I

DAS HAUS DER KNECHTSCHAFT: SKLAVEN IN ÄGYPTEN

I

Die Stärke der Exodus-Geschichte liegt in ihrem Ende, der göttlichen Verheißung. Natürlich trifft es auch zu, daß Bedeutung und Wert des Endes im Anfang angelegt sind. Kanaan ist ein gelobtes Land, weil Ägypten ein Haus der Knechtschaft ist. Anfang und Ende stehen in einer notwendigen Beziehung zueinander. Der Exodus ist kein glückhaftes Entkommen vor dem Unheil. Vielmehr ist das Unheil moralischer Natur und das Entkommen hat eine welthistorische Bedeutung. Ägypten wird nicht einfach zurückgelassen, sondern es wird abgelehnt, gerichtet und verurteilt. Die wesentlichen Begriffe des Urteils sind *Unterdrückung* und *Verderbtheit,* und ich werde diese Begriffe nacheinander untersuchen. Aber ich muß zunächst betonen, daß das Urteil nur durch die Verheißung vorstellbar wird; seine moralische Kraft setzt zumindest die Vorstellung eines Lebens voraus, das weder unterdrückerisch noch verderbt ist. GOTTES Verheißung schafft ein Gefühl für das Mögliche (Es wäre, wenn man die Furchtsamkeit der israelitischen Sklaven bedenkt, allerdings übereilt, von einem Gefühl des Selbstvertrauens zu sprechen.): Die Welt besteht nicht nur aus Ägypten. Ohne dieses Gefühl des Möglichen würde man die Unterdrückung als einen unausweichlichen Zustand empfinden, als persönliches oder kollektives Unglück, einen Schicksalsschlag. Es gibt in der Tat religiöse Standpunkte, von denen man die Welt als Ganzes beurteilen und sie für unterdrückerisch und verderbt halten kann – für eine Welt des Satans. Aber der Pharao ist nicht Satan, und das biblische Urteil ist von anderer Art. Seine moralische Qualität hängt davon ab, daß hier und heute alternative Möglichkeiten bestehen. Zorn und Hoffnung, nicht Resignation sind die angemessenen Antworten auf das ägyptische Haus der Knechtschaft.

Dies läßt sich mit Hilfe eines Vergleichs deutlicher herausstellen. Euripides' Drama *Die Troerinnen* bildet einen nützlichen Kontrast zur Exodus-Geschichte, denn es beschreibt einen »Auszug«, der nicht in die Freiheit, sondern in die Sklaverei führt. Folglich erklärt Hekabe am Ende des Stücks:

> Ihr zitternden, zitternden Glieder,
> So schleppt den Schritt,
> Schritt der Greisin,
> In den Abend der Knechtschaft![1]

Die Frauen sind von den Göttern ihrer Stadt im Stich gelassen worden. Für sie gibt es keine Verheißung. »Mir schwand das Letzte, das den Menschen bleibt, die Hoffnung«, sagt Andromache. »Ich betrüge meinen Sinn mit keinem Trost, mit keinem süßen Traum.«[2] Ohne Illusionen treten die Frauen ihrem Schicksal unerschütterlich entgegen (und beklagen es). Sklaverei ist die natürliche Konsequenz der Niederlage; die Griechen frohlocken, die Frauen weinen: Alle verhalten sich so wie erwartet.

Euripides fällt kein moralisches Urteil; zumindest fällt er kein Urteil über die Sklaverei, in welche die Frauen geführt werden. Das Gefühl, das er heraufbeschwören will, ist Mitleid, nicht Zorn oder Empörung. Vielleicht werden wir aufgefordert, zornig über einzelne Grausamkeiten zu sein – etwa die Ermordung von Hekabes Tochter und Andromaches (und Hektors) Sohn –, aber vor allem sollen wir die Frauen bemitleiden, hauptsächlich die edlen Frauen, für welche die Sklaverei eine Seelenqual ist. Vom aristokratischen Standpunkt aus ist der Verlust der Freiheit ein »Gang in tiefste Schmach«, wie ein moderner Historiker schreibt, und – hier mischt er die Metaphern – der »Absturz in das Nichts«.[3] Euripides will seine Zeitgenossen, die gerade die Frauen von Melos versklavt haben, daran erinnern, wie plötzlich ein solcher Absturz sein kann. Er zeichnet die Knechtschaft zwar als bedrückend, nicht jedoch als ungerecht. Sie ist bedrückend wie ein heißer und feuchter Sommertag – natürlich unendlich schlimmer, aber trotzdem damit vergleichbar. Sklaverei, um ein Wörterbuch zu zitieren, »liegt schwer auf Gefühlen, Verstand und Geist, drückt sie nieder, zermalmt sie...«[4] Dies ist die Hauptthese des Dramas; Euripides hat die lange Klage der trojanischen Frauen niedergeschrieben.

Die Sprache des Exodus schlägt zuweilen einen ähnlichen Ton

an. Die Sklaverei wird in den ersten Kapiteln des Buches als »Fron«, »Last«, »Elend« beschrieben. Offensichtlich empfanden die Israeliten, genau wie die Griechen, die Sklaverei als bedrükkend. Aber die Griechen empfanden auch Krieg und Krankheit, Belagerungen und Fieber als bedrückend; sie benutzten ständig das Wort *piezein,* das sich (wie das hebräische *lachatz*) von einer Wurzel mit der Bedeutung »niederdrücken«, in einem nichtmoralischen Sinn, herleitet. In der Literatur Athens im 5. und 4. Jahrhundert (v. Chr.) wird das Wort, soweit mir bekannt ist, regelmäßig im Passiv und stets mit einem unpersönlichen Subjekt verwendet: »bedrückt vom Krieg«, »bedrückt vom Fieber«.[5] Im Gegensatz dazu ist der biblische Gebrauch aktiv und persönlich. Es ist wesentlich für die Exodus-Geschichte und wird im Text explizit dargestellt, daß der Pharao und seine Fronvögte die Kinder Israel unterdrückten. GOTT sagt zu Moses: »Weil denn nun das Geschrei der Kinder Israel vor mich gekommen ist und ich auch dazu ihre Angst gesehen habe, wie die Ägypter sie ängstigen«, (*Exod.* 3,9). Das Wörterbuch stellt die beiden Definitionen, unpersönlich und persönlich, passiv und aktiv, nebeneinander, doch es ist die zweite Bedeutung, die sich in der politischen Geschichte des Westens als so wichtig erwiesen hat: »durch tyrannische Machtausübung niederhalten, mit grausamen oder ungerechten Pflichten oder Einschränkungen belasten«.[6]

Vielleicht sollte ich vorsichtiger sein. Der Pharao wird im Buch *Exodus* nie ausdrücklich als Tyrann bezeichnet, wiewohl er in der jüdischen Literatur fürderhin stets als der erste der Tyrannen bekannt ist. Die Warnungen vor den Gefahren des Königtums im *Deuteronomium* 17 und im 1. Buch *Samuel* 8 orientieren sich zweifellos am Ägypten des Pharao. Auch wird die Unterdrückung der Israeliten nicht als ungerecht (sondern als grausam) bezeichnet. Eines der hebräischen Wörter, das manchmal als Unterdrückung übersetzt wird (*'ani;* eine andere – und bessere – Übersetzung lautet »Heimsuchung«), drückt eher Elend und Schmerz denn widerrechtlichen Schaden aus. Und doch ist die Widerrechtlichkeit der israelischen Knechtschaft gewiß die Hauptthese des Textes. So zumindest hat man den Text von frühesten Zeiten an interpretiert. Deshalb heißt es üblicherweise, daß Moses richtig gehandelt und einen Missetäter bestraft habe, als er den ägyptischen Vogt erschlug. Manche Rabbis sorgten sich, daß die Strafe unangemessen gewesen sei, weil der Vogt den hebräischen Sklaven nicht getötet, sondern nur geprügelt hatte, aber sogar sie waren sich darin einig, daß Mosis Zorn gerecht sei.[7] Es sei eine gute Sache, sich der Unterdrückung zu widersetzen. Vieles vom moralischen Kodex der Thora wird durch den Gegensatz zu ägyptischer Grausamkeit erklärt und verteidigt. Den Israeliten wird befohlen, gerecht zu handeln, das heißt, nicht so wie die Ägypter; und das Motiv ihres Handelns soll die Erinnerung an die Ungerechtigkeit sein, welche ihre Vorfahren in Ägypten erlitten und die sie selbst, durch die Rückbesinnung, im Ägypten ihres Geistes wiedererleiden.

Das neue Regime wird durch den Kontrast zu dem alten definiert. Nicht nur *dieses* neue Regime, das von Moses gegründete Gemeinwesen, denn in einem wichtigen Sinne wird die Sprache der revolutionären Politik allgemein (und auch des religiösen Messianismus) hier zum erstenmal entwickelt und entfaltet. Unterdrükkung nimmt die moralische Bedeutung an, die sie in der jüdisch-christlichen Welt seither besessen hat. Und die Möglichkeit der Rettung und Erlösung wird entschieden zur Sprache gebracht. Das Wort »Erlösung« leitet sich im Hebräischen von einem juristischen Begriff mit der Bedeutung »zurückkaufen« ab – womit in diesem Fall die Freiheit eines Sklaven gemeint ist. Das hebräische Substantiv, das als »Rettung« übersetzt wird, stammt von dem Verb »hinausgehen«. Aber man wird nur dann gerettet, wenn man aus Ägypten (nicht, zum Beispiel, aus Troja) hinausgeht. Im England der Jahre nach 1640 spielte »Rettung« *(deliverance)* in etwa die gleiche Rolle wie »Befreiung« *(liberation)* heutzutage. Die beiden englischen Wörter sind eng miteinander verwandt und beziehen ihre umfassendere Bedeutung aus der Erfahrung der Sklaverei. Möglicherweise haben andere Erfahrungen der Sklaverei ähnliche Bedeutungen hervorgebracht. Als zum Beispiel die spartanischen Heloten, deren Umstände jenen der Israeliten in Ägypten in mancher

Hinsicht ähnelten, gegen ihre Herren rebellierten, dürften sie auf ihre eigene Befreiung abgezielt haben.[8] Aber wir wissen nicht, was sie mit ihrer Freiheit anfingen, nachdem sie diese im Jahre 371 v. Chr. mit thebanischer Hilfe errungen hatten. »Erinnerten« sie sich an ihre Knechtschaft, wenn sie ihre Rettung feierten? Gestalteten sie eine neue Politik im Lichte dieser Erinnerung? Wahrscheinlich nicht, denn Sklaverei war ein unwürdiger und schändlicher Zustand im klassischen Griechenland, und frühere Sklaven versuchten meist, ihrer Vergangenheit zu entkommen, sie nicht im Gedächtnis zu behalten, sondern sie zu vergessen. Wie auch immer, die Rettungsidee der Heloten ist uns nicht überliefert, und diese Idee, wie sie auch ausgesehen haben mochte, hatte keinen weiteren Einfluß. Dagegen ist es möglich, eine kontinuierliche Verbindung vom Exodus zur radikalen Politik unserer eigenen Zeit herzustellen.

II

Ich werde jedoch auf diesen Versuch verzichten und mich statt dessen auf das konzentrieren, was in Ägypten geschah. Was war der Charakter der Unterdrückung? Unzweifelhaft wurde er nicht von der Sklaverei an sich bestimmt, jedenfalls nicht von der Sklaverei als Leibeigenschaft. Die Israeliten wurden in Ägypten nicht gekauft und verkauft; auch wird Sklaverei in diesem Sinne in dem Gesetzeswerk, das aus der Exodus-Erfahrung hervorgeht, nicht verboten (wenn auch ausführlich geregelt). Wir sollten vielleicht sagen, daß die Israeliten zunächst Gäste, dann Gastarbeiter und noch später Staatssklaven in Ägypten waren und einer Art *corvée* (Fron, Zwangsarbeit) unterworfen waren. Viele Ägypter waren auf ähnliche Weise vom Staat abhängig; deshalb wurde Ägypten als ein »Diensthaus« oder »Haus der Knechtschaft« (wörtlich: Haus der Sklaven) bezeichnet. Welche Züge des Hauses der Knechtschaft heben wir hervor, wenn wir es als tyrannisch beschreiben? Was waren, im einzelnen, seine ungerechten Bürden? Warum wurde die ägyptische Knechtschaft zur ursprünglichen und archetypischen Form der Unterdrückung?

Die einfachste moderne Lesart, die dem ersten Kapitel des Buches *Exodus* zuteil wird, ist sozialer und ökonomischer Art; denn wir sind daran gewöhnt, Unterdrückung an solchen Maßstäben zu messen. Lincoln Steffens liefert ein hübsches Beispiel dafür, wenn er Moses einen »loyalen Gewerkschaftsführer« nennt.[9] Ein zeitgenössischer lateinamerikanischer Priester beschreibt das Leid der Israeliten unter vier Überschriften: Unterdrückung, entfremdete Arbeit, Demütigung und zwangsweise Nachwuchsbeschränkung.[10] Der letzte Ausdruck mag sich auf eine Midrasch-Geschichte beziehen, der zufolge die Ägypter ihre männlichen Sklaven so schwer und lange arbeiten ließen, daß sie nachts nicht zu ihren Frauen zurückkehren konnten, sondern erschöpft an ihrem Arbeitsplatz einschliefen.[11] Oder sie könnte sich – allerdings wäre der Euphemismus ein wenig seltsam für einen Befreiungstheologen – auf den Befehl des Pharaos an die Hebammen beziehen, die neugeborenen Söhne der Israeliten zu töten. Dies ist Kindesmord, nicht Nachwuchsbeschränkung; sein Zweck war, das gesamte Volk Israel durch die Vernichtung des männlichen Geschlechts auszurotten und nur Frauen und Mädchen zurückzulassen, die als Sklavinnen auf ägyptische Haushalte verteilt werden sollten. Ich werde nicht mehr viel über diesen Aspekt der Politik des Pharaos sagen. Unter Juden wird er neuerdings als erster einer Reihe von Anschlägen auf das jüdische Volk betrachtet, die in den nationalsozialistischen Todeslagern kulminiert. Tatsächlich klingt der Pharao der Unterdrückung seltsamerweise wie ein moderner Antisemit, der sich (in *Exod.* 1,10) über die wachsende Macht der Israeliten, die in Ägypten zu Wohlstand gekommen waren, und ihre mögliche Untreue Sorgen macht, »denn wo sich ein Krieg erhöbe, möchten sie sich auch zu unseren Feinden schlagen ...«. Aber es ist nicht die Ermordung der Söhne, die in den frühesten Erörterungen der Exodus-Geschichte im *Deuteronomium* und in den prophetischen Büchern vorkommt. Auch steht die Ermordung nicht im Mittelpunkt des nichtjüdischen Verständnisses der ägyptischen Knechtschaft – jedenfalls nicht, bis katholische Priester begannen, sich für die Befreiung zu interessieren. Zudem läßt dieser Teil der Geschichte die hartnäckige Sehnsucht der Israeliten, nach Ägypten zurückzukehren, nicht ohne weiteres begreiflich werden. Man kann zwar wohl nach seinem Unterdrücker schmachten, nicht aber nach dem Mörder seiner Kinder.

Die zentrale Tradition der Deutung des Exodus unterstreicht die Zwangsarbeit, nicht den versuchten Völkermord. »Und (die Ägypter) machten ihnen ihr Leben sauer mit schwerer Arbeit in Ton und Ziegeln und mit allerlei Frönen auf dem Felde und mit allerlei Arbeit, die sie ihnen auflegten mit Unbarmherzigkeit« (*Exod.* 1,14). Das hebräische Wort für »ohne Barmherzigkeit« (oder »mit Strenge«) ist *be-farech*, und es kommt nur noch einmal in der Thora vor, in *Levitikus* 25, wo die Gesetze für die Behandlung der hebräischen Sklaven niedergelegt sind: »Und sollst nicht mit Strenge über sie herrschen«, das heißt, nicht so wie die Ägypter. Viele Jahre später weitete Maimonides diesen Schutz im Grunde auf alle Sklaven aus und bot gleichzeitig eine Definition von *be-farech* an: Strenger Dienst sei Dienst ohne die Begrenzung von Zeit oder Zweck.[12] Knechtschaft fordert Arbeit ohne Ende, mithin eine Arbeit, die den Sklaven sowohl erschöpft wie entwürdigt. Der Verfasser der *Vindiciae* vertrat im 16. Jahrhundert eine ähnliche Ansicht: Der Tyrann »errichtet nichtige und zwecklose Trophäen, um seine Tributpflichtigen ständig zu beschäftigen, damit ihnen die Muße fehlt, über andere Dinge nachzudenken, wie der Pharao mit den Juden verfuhr ...«[13] Vielleicht wegen der Taten des Pharaos setzt die biblische Gesetzgebung der Sklaverei eine Grenze, die sich allerdings nur auf israelitische Sklaven bezieht: »So du einen hebräischen Knecht kaufst, der soll dir sechs Jahre dienen; im siebenten Jahr soll er frei ausgehen umsonst« (*Exod.* 21,2). Wir wissen nicht, ob diese Begrenzung je durchgesetzt wurde, aber man vergaß sie nicht. Der Prophet Jeremia leitet den Sturz Judäas und das Babylonische Exil aus dem Versäumnis des Volkes her, nach sechs Jahren für versklavte Brüder und Nächste »ein Freijahr« auszurufen, wozu GOTT es durch einen Bund verpflichtet habe, als ER es aus Ägypten hinausführte (*Jeremia* 34,8-23). Möglicherweise wurde die Freiheit des siebten Tages – eine einfachere Sache – von mehr Menschen akzeptiert als die Freiheit des siebten Jahres. Laut *Deuteronomium* wurde der Sabbat eingerichtet, »auf daß dein Knecht und deine Magd ruhe gleich wie du. Denn du sollst gedenken, daß du auch Knecht in Ägyptenland warest...« (*Deut.* 5,14-15; siehe auch *Exod.* 23,12). Dieses Gebot schließt alle Knechte ein, nicht nur Hebräer, sondern auch »Fremde«. Zweifellos beruht es auf einer gewissen Einschätzung physischer und geistiger Bedürfnisse, aber auch auf der Erinnerung an die Würdelosigkeit »strenger« Sklaverei. Entfremdete Arbeit und Demütigung beschreiben tatsächlich einen Teil des unterdrückerischen Charakters, der die ägyptische Knechtschaft kennzeichnete.

Andererseits könnte man *be-farech* auch im Sinne physischer Brutalität verstehen. Auch in dieser Hinsicht scheinen die Gesetze, die unmittelbar nach der Flucht aus Ägypten verkündet wurden, wo man die Israeliten geschlagen und getötet hatte, darauf angelegt zu sein, eine Wiederkehr ägyptischer Unterdrückung unmöglich zu machen: »Wer seinen Knecht oder seine Magd schlägt mit einem Stabe, daß sie sterben unter seinen Händen, der soll darum bestraft werden« (*Exod.* 21,20). Sklavenhalter, die ihre Sklaven töten, sollen nicht »des Todes sterben« wie im Falle eines gewöhnlichen Mordes (siehe *Exod.* 21,12). Mithin ist Ephraim Urbachs Beschreibung etwas übertrieben; er redet von der »absoluten Gleichheit des Sklaven und des freien Mannes in allen Angelegenheiten, welche den gerichtlichen Schutz ihres Lebens betreffen...« Immerhin, die Schutzklauseln, die durch die Exodus-Verbote geschaffen werden, haben »keine Parallele im griechischen oder römischen Gesetz«.[14] Damit nicht genug, wenn ein Sklave von seinem Herrn physisch verletzt wurde, sollte er freigelassen werden (*Exod.* 21,26-27). Wiederum wissen wir nicht, ob diese Gesetze überhaupt – oder wie konsequent – in unterschiedlichen Perioden der Geschichte Israels angewandt wurden. Aber es sind Exodus-Gesetze, und mutmaßlich bringen sie die hebräische Einschätzung des eigenen Leids in Ägypten zum Ausdruck.

Zum unterdrückerischen Charakter der ägyptischen Sklaverei gehörte auch, daß die Israeliten ihrer eigenen Meinung nach gar keine Sklaven im legitimen Sinne waren. Sie waren nicht im Krieg gefangengenommen worden und hatten sich selbst niemals in die Sklaverei verkauft. Sie waren, wie ich bereits gesagt habe, ein Gastvolk und danach Gastarbeiter. Dies war die Ungerechtigkeit, welche die Ägypter dem Philosophen Philo zufolge begingen: Sie versklavten »Menschen, die nicht nur frei, sondern Gäste (und) Bittsteller waren...«[15] Eine alte Legende, die im Midrasch wiedergegeben wird, teilt mit, die Israeliten hätten zunächst Lohn für ihre Arbeit an den Vorratsstädten Pethom und Raamses erhalten. Dann habe man ihnen den Lohn entzogen und sie einfach zur Arbeit gezwungen.[16] Diese Erfahrung – entweder eine vage Erinnerung an sie oder eine Geschichte über sie, die im Laufe der Jahre fortentwickelt wurde – scheint dem Lohngesetz des *Deuteronomiums* zugrundezuliegen:

> Du sollst dem Dürftigen und Armen seinen Lohn nicht vorenthalten, er sei von deinen Brüdern oder den Fremdlingen, die in deinem Lande und in deinen Toren sind, sondern sollst ihm seinen Lohn des Tages geben, daß die Sonne nicht darüber untergehe... (und dann, nach zwei weiteren Geboten:) denn du sollst gedenken, daß du Knecht in Ägypten gewesen bist... (*Deut.* 24,14-15,18)

Das Gesetzesgebot wird im Singular angeführt, aber es ist ein wesentlicher Teil der hebräischen Erfahrung in Ägypten, daß die Israeliten nicht einer nach dem anderen, sondern alle gleichzeitig versklavt wurden. Man machte sie »dürftig und arm«, weil sie Fremdlinge im Lande waren. Da sie nicht ohne politischen Schutz auskommen konnten, waren sie hilflos, als der Schutz ihnen plötzlich entzogen wurde. Sie waren nicht die Opfer des Marktes, sondern des Staates, der absoluten Monarchie der Pharaonen. Deshalb warnt Samuel die Ältesten von Israel, einen König zu wählen, womit er zweifellos auf die Exodus-Erfahrung anspielt: »Und...

eure schönsten Jünglinge... wird er nehmen und seine Geschäfte damit ausrichten... und ihr müßt seine Knechte sein« (1. *Sam.* 8,16-17). Unter einem absoluten König könnten alle Untertanen gleichsam Fremdlinge in Ägypten werden.

Die ägyptische Knechtschaft war die Fesselung eines Volkes an die willkürliche Macht des Staates. Leibeigenschaft wäre vielleicht vorzuziehen gewesen, denn dabei handelte es sich um einen von juristischen Normen bestimmten Zustand. Im »Haus der Sklaven« gab es keine Normen. Die Israeliten waren einer Knechtschaft ohne Begrenzung unterworfen – ohne Ruhepausen, ohne Vergütung, ohne Hemmung, ohne ein Ziel, daß sie zu ihrem eigenen hätten machen können. In Ägypten war Sklaverei eine Art politischer Herrschaft. Natürlich profitierte der Pharao von der Arbeit seiner hebräischen Sklaven, aber er versklavte sie nicht um des Profits willen. Die Sklaven wurden ausgebeutet, was stets für Sklaven gilt, aber in der biblischen Darstellung ist es entscheidend, daß sie unterdrückt, das heißt brutal und tyrannisch beherrscht wurden. Die Exodus-Tradition spricht gegen Tyrannei – und diese Rolle spielt sie zum Beispiel in den Mahnungen Savonarolas, in den Pamphleten John Miltons und in den amerikanischen revolutionären Predigten, mit denen man den »britischen Pharao«[17] attakkierte.

Die Tyrannei nahm, wie sich versteht, die Gestalt schwerer Arbeit an, weshalb die Geschichte wiederum zu einer sozialen und ökonomischen Umsetzung auffordert. Die klare Linie, die Hannah Arendt in ihrem Buch über die Revolution zwischen der politischen Frage und der sozialen Frage, zwischen Tyrannei und Elend zieht, kann hier nicht gezogen werden.[18] Die Exodus-Geschichte scheint beides zu umfassen. In praktischen Anwendungen der Geschichte wird das Volk Israel sehr leicht mit einer unterdrückten Klasse verglichen. Ein Pamphlet des Levellers John Lilburne, das 1645 in London veröffentlicht wurde, deutet an, daß eine solche Einschätzung nicht nur auf einer modernen Interpretation oder Fehlinterpretation des Textes beruht.

> Aber manche werden sagen, daß unsere Knechtschaft noch nicht so schlimm sei wie jene in Ägypten, denn alle Juden seien unter den Ägyptern in strenger Knechtschaft gewesen, doch viele der Unseren seien davon ausgenommen. Dies räume ich ein, und ich gestehe, daß wenige unserer großen und mächtigen Männer entweder Lehm bearbeiten oder Ziegel herstellen, sondern sie übertragen entweder die ganze Last oder ihren größten Teil durch schwere Arbeit auf die Armen...[19]

Das Gebot im *Deuteronomium,* das die »Armen und Bedürftigen« betrifft, ist einem ähnlichen Zweck gewidmet, denn wie Lilburnes England bringt auch das Gelobte Land seine eigenen Unterdrücker hervor, nämlich »*unsere* großen und mächtigen Männer«. Man benötigt keine Ägypter. Aber die biblischen Autoren versuchen nicht, den sozialen Bezugsrahmen auszuweiten.

Der Text kennt nur ethnische und politische Gruppen, und das Buch *Exodus* ist in erster Linie ein Bericht über die Unterdrückung einer solchen Gruppe durch einen unbarmherzigen Herrscher in einem fremden Land. Deshalb wird die Erinnerung an den Exodus häufiger im Namen von Fremden als im Namen von Sklaven heraufbeschworen: »Die Fremdlinge sollt ihr nicht unterdrücken; denn ihr wisset um der Fremdlinge Herz, (*nefesh:* »Geist« oder »Gefühle«), dieweil ihr auch seid Fremdlinge in Ägyptenland gewesen« (*Exod.* 23,9). Es ist leicht zu begreifen, weshalb die Exodus-Geschichte die afrikanischen Sklaven im amerikanischen Süden so sehr faszinierte. Sie waren zwar Leibeigene, aber sie empfanden sich auch als ein separates Volk, als Fremde in einem fremden Land, die ein gemeinsames Schicksal teilten. Die ägyptische Knechtschaft ist ihres Kollektivcharakters wegen paradigmatisch für jede Politik der Sklavenbefreiung und für radikale Politik im allgemeinen. Sie lädt zu einer Kollektivreaktion ein – nicht zu Freilassung, dem gemeinsamen Ziel griechischer und römischer Sklaven, sondern zu Befreiung.

Wir können uns den Exodus als ein Beispiel dessen vorstellen, was heute »nationale Befreiung« genannt wird. Das Volk als Ganzes wird versklavt und dann als Ganzes befreit. Gleichzeitig jedoch zeigt die Verwendung der Geschichte in der eigenen Historie Israels – zuerst in der Gesetzgebung und dann in der Prophezeiung –, daß das ägyptische Modell sich auf jede Art von Unterdrückung und jede Art von Befreiung erstreckt. Der wesentliche Punkt besteht vermutlich in der Verbindung von Unterdrückung und Staatsgewalt. »Die Unterdrückung in Ägypten gehört«, wie Croatto sagt, »in eine *politische* Kategorie ... (sie wird) vom Zentrum der politischen Macht her ausgeübt.«[20] Daher ist die Flucht aus der Knechtschaft auch identisch mit dem Sieg über einen Tyrannen – und die Flucht ist nur infolge des Sieges möglich. Die Tyrannei wird von den Rössern und den Streitwagen des Pharaos symbolisiert; sie bilden den Kern seines Heeres und die Quelle seiner Macht (die Symbolik kommt die gesamte Bibel hindurch immer wieder vor).[21] Der Oberherr des Hauses der Sklaven ist auch ein arroganter Kriegsherr, und so wird er in dem Triumphlied dargestellt, das die Israeliten am jenseitigen Ufer des Roten Meers singen:

> Der Feind gedachte: Ich will nachjagen und erhaschen und den Raub austeilen und meinen Mut an ihnen kühlen; ich will mein Schwert ausziehen, und meine Hand soll sie verderben. (*Exod.* 15,19)

Aber GOTT ist ein stärkerer Krieger, und der Tyrann wird besiegt: »Roß und Mann hat er ins Meer gestürzt.« Dies war der Moment der Befreiung. Benjamin Franklins Vorschlag für die Gestaltung des Großen Amtssiegels der Vereinigten Staaten fängt den politischen Sinn des *Exodus*-Textes ein. Franklin ging jedoch mit der von ihm angeregten Inschrift über den Text hinaus: »Widerstand gegen Tyrannen ist Gehorsam GOTT gegenüber.« In der Exodus-Geschichte kämpfen die Israeliten – aus Gründen, die ich im nächsten Kapitel untersuchen werde – nicht selbst gegen den Pharao. Es ist GOTT allein, der die ägyptischen Streitwagen vernichtet. Der Aufruf zum Widerstand gegen Tyrannen ist nichtsdestoweniger eine charakteristische Interpretation des Textes – allerdings geht es nicht nur darum, GOTT zu gehorchen, sondern vielmehr, es ihm gleichzutun.

III

Knechtschaft und Unterdrückung sind die Schlüsselvorstellungen der Exodus-Geschichte, doch ihre Analyse schöpft die Bedeutung Ägyptens nicht aus. Kein altes Regime ist bloß unterdrückerisch; es ist auch verlockend, denn sonst wäre die Flucht vor ihm viel leichter. Die Verlockungen Ägyptens erscheinen im Text nicht sehr eindeutig, aber sie kommen notwendigerweise in der Interpretation des Textes vor, das heißt in den Bemühungen, die verkürzte, oft rätselhafte Erzählung zu erweitern und zu erklären. Am besten beginnen wir jedoch mit einer bekannten Passage aus Kapitel 16 des Buches *Exodus*. Die Israeliten sind nun seit fünfundvierzig Tagen in der Wüste.

> Und es murrte die ganze Gemeinde der Kinder Israel wider Mose und Aaron in der Wüste und sprachen: Wollte GOTT, wir wären in Ägypten gestorben durch des Herrn Hand, da wir bei den Fleischtöpfen saßen und hatten die Fülle Brot zu essen... (*Exod.* 16,2-3)

Ich las diesen Abschnitt vor Jahren, als ich sehr jung war, und konzentrierte mich damals, wie ich es auch jetzt tun werde, auf jenes wunderbare Wort »Fleischtöpfe«. Meine Aufmerksamkeit wurde, wie ich zugeben muß, eher von dem ersten Teil des Wortes als von dem zweiten gefesselt; ich kann mich gar nicht mehr daran erinnern, den zweiten Teil überhaupt ins Auge gefaßt zu haben. Auch war mir, bevor ich an diesem Buch zu arbeiten begann, nie ganz klar, was ein Fleischtopf eigentlich ist. Ein prosaischer Gegenstand, ein Topf zum Kochen von Fleisch: Selbst in den heutigen Vereinigten Staaten sitzen wir – oder jedenfalls die meisten von uns – bei unseren Fleischtöpfen. Aber meine jugendliche Voreingenommenheit für das »Fleisch« war angemessen, denn Fleisch ist während des größten Teils der menschlichen Geschichte das Nahrungsmittel der Privilegierten gewesen. »Fleischtöpfe«, im Plural, bezieht sich nicht auf eine große Zahl von Töpfen, sondern auf Luxus und sinnliche Freuden. Ich weiß nicht, ob das Wort für die Verfasser und Bearbeiter des Buches *Exodus* diese Bedeutung hatte oder ob es erst durch die Art, wie sie es verwendeten, diese Bedeutung annahm.[22] Jedenfalls können wir sagen, daß das Haus der Knechtschaft, mit den Augen seiner früheren Bewohner gesehen, auch ein Land des Luxus war.

Dies wurde zur maßgebenden Ansicht, so daß Generationen von Reformern gegen ägyptischen Luxus wetterten. Ernst Bloch hält den Luxus für unmäßig und kitschig, für das Spiegelbild der modernen Konsumkultur; er spricht von »dem Auszug aus dem riesigen Ägypten, dem Machwerk der gewordenen Welt selber«.[23] Für Savonarola wiederholte der ägyptische Luxus sich einfach in den florentinischen »Eitelkeiten«. In seinen Predigten über den Exodus betonte er das reiche und wollüstige Leben der Ägypter; das Gelobte Land, die neue Gesellschaft, werde anders sein.[24] Die jüdische historische und exegetische Literatur bezieht einen ähnlichen Standpunkt. In einem rabbinischen Kommentar heißt es, der augenscheinlichen Bedeutung des Textes zum Trotz, daß der Pharao bei seinem Befehl an die Hebammen »genauso interessiert daran« gewesen sei, »die weiblichen Kinder zu erhalten, wie daran, den Tod der männlichen Kinder zu bewirken. (Die Ägypter) waren sehr sinnlich und wünschten, so viele Frauen wie möglich zu ihren Diensten zu haben«.[25] Josephus schlägt in *Jüdische Altertümer* den gleichen Ton an: »Die Ägypter sind eine Nation, die süchtig nach Feinheit und arbeitsunwillig ist, nur ihren Vergnügungen unterworfen ...«[26] In diesen Passagen schwingt die Mißbilligung mit, die in der Klage des Volkes über den Mangel an Fleischtöpfen fehlt (wenn auch natürlich nicht im Bericht des Erzählers oder in Mosis Erwiderung: »Euer Murren ist nicht wider uns, sondern wider den HERRN.«) Die Mißbilligung klingt noch stärker in *Levitikus* und *Deuteronomium* und später in den prophetischen Büchern an: »Ihr sollt nicht tun nach den Werken des Landes Ägypten, darin ihr gewohnt habt ...« (*Lev.* 18,3). Das frühe Judentum wird durch seine Ablehnung nicht nur der ägyptischen Knechtschaft, sondern auch der ägyptischen Kultur definiert: der Bräuche der oberen Schichten, wie sie aßen und tranken, sich kleideten und wohnten, sich amüsierten, ihre Götter anbeteten und ihre Toten bestatteten.

Die israelische Ablehnung des Luxus wird gemeinhin als Reaktion von Nomaden auf eine städtische Zivilisation beschrieben.[27] Und dies dürfte wenigstens zum Teil zutreffen. Ein gewisser »Wüstenpuritanismus« hielt sich noch über viele Jahrhunderte hinweg, sogar nachdem die Israeliten sich im Gelobten Land niedergelassen hatten. So heißt es über die Sekte der Rechabiter, deren Doktrin Jeremia wiedergibt:

> Wir trinken nicht Wein; denn unser Vater Jonadab, der Sohn Rechabs, hat uns geboten und gesagt: Ihr und eure Kinder sollt nimmermehr Wein trinken und kein Haus bauen, keinen Samen säen, keinen Weinberg pflanzen noch haben, sondern sollt in Hütten wohnen euer Leben lang... (*Jeremia* 35,6-7)

Vermutlich aßen die Rechabiter Fleisch – das tägliche Manna war seit langem versiegt –, doch sie verwarfen den Luxus des städtischen Lebens, und zwar von einem entschieden nomadischen Standpunkt aus. Sie waren dem GOTT treu, der Davids Angebot, IHM einen Tempel zu bauen, zurückgewiesen hatte. »Solltest du mir ein Haus bauen, daß ich darin wohne? Habe ich doch in keinem Haus gewohnt seit dem Tage, da ich die Kinder Israel aus Ägypten führte, bis auf diesen Tag, sondern ich habe gewandelt in der Hütte und Wohnung« (2. *Sam.* 7,5-6).

Aber das Beispiel der Rechabiter gilt nicht für das Volk als Ganzes, das nicht von Genügsamkeit, sondern von Milch und Honig träumte. Gewiß, als die Hebräer in späteren Jahren ihre Rettung feierten, aßen sie Matze, »das Brot des Kummers«, Sklavenbrot, wodurch sich auch (laut einem modernen Kommentar zur *Haggadah,* dem Gebetbuch für die Familienfeier des Passahfestes) »die Vermeidung von Genußsucht und Arroganz... das einfache und unverdorbene Leben eines Dieners GOTTES« ausdrückte.[28] Aber sie aßen die Matze, wie die Juden es heutzutage immer noch tun, bei einem festlichen Bankett, bei dem sie auf Kissen ruhten und Wein tranken. Sie »erinnerten sich« an das Erlebnis der Unterdrückung, während sie die Freuden der Freiheit genossen. Auch verlangte die Freiheit nicht, daß sie in Hütten wohnten und je nach Jahreszeit weiterzogen.

Der »Wüstenpuritanismus« kann die Ablehnung der ägyptischen Kultur nicht hinreichend erklären. Die Ablehnung – hier und bei allen späteren Erscheinungsformen des Puritanismus – hat mit der komplexen Haltung zu tun, welche die Unterdrückten zur Kultur ihrer Unterdrücker einnehmen. Die Israeliten in Ägypten fühlten sich vom ägyptischen Leben und vom ägyptischen Gottesdienst angezogen, aber an keinem der beiden konnten sie vollauf oder uneingeschränkt teilhaben. Denken wir noch einmal an *Exodus* 16. »Es heißt nicht«, wie der Midrasch berichtet, »›als wir *aus* den Fleischtöpfen aßen‹, sondern ›als wir *bei* den Fleischtöpfen saßen‹. Sie mußten ihr Brot ohne Fleisch essen.«[29] Sie rochen das Fleisch, durften es aber nicht kosten, und das, wonach sie sich in der Wüste sehnten, war ihre Sehnsucht im Hause der Knechtschaft. Aber diese Art Sehnsucht mischt sich wohl stets mit Groll und Zorn. Oder, besser gesagt, wenn manche Israeliten »wie die Ägypter sein« wollten, wie der Midrasch ebenfalls berichtet, so gab es andere, die mehr Stolz besaßen, die ihre unterschiedlichen Züge betonen und sich von den ägyptischen »Köstlichkeiten« abwenden wollten.[30]

Die Kommentare sind voll von Geschichten über die hebräische Anpassung in Ägypten. Savonarola schrieb: »Das Volk Israel wurde halb ägyptisch...«[31] Jahrhunderte zuvor hatten die Rabbis angedeutet, daß viele Israeliten sich wie Ägypter kleideten und ägyptische Namen annahmen. Sie zeugten »fremde Kinder«, heißt es in einem Midrasch, angelehnt an Hosea (5,7) den man dahingehend interpretiert, daß »sie den Bund der Beschneidung abschafften«. Ein späterer Midrasch, der entstand, als jede Kenntnis der ägyptischen Kultur längst verblichen war, leitet aus der Zeile »daß ihrer das Land voll ward« (*Exod.* 1,7) die Ansicht ab, daß »die Amphitheater und Zirkusse voll von ihnen waren«.[32] Aber die Geschichte der Knechtschaftsjahre wird zuweilen auch ganz anders wiedergegeben. Zum Beispiel brachten einige Rabbis vor, es habe, Jahre vor dem Sinai-Bund, unter den Israeliten einen Bund gegeben, der die Bräuche der Vorfahren und die Erinnerung an den Gott der Patriarchen bewahrte. Kein Jude, sagte einer von ihnen, habe je einen Treuebruch an der Gemeinschaft jüdischer Sklaven in Ägypten begangen.[33] (Wer soll denn wohl den Pharao über Mosis Ermordung des Fronvogts unterrichtet haben?) Diese Versionen der ägyptischen Erfahrung scheinen widersprüchlich, aber vielleicht beschreiben sie unterschiedliche Aspekte derselben Geschichte. Ägypten war ein Zentrum des Wohlstandes und des üppigen Lebens; deshalb ist der Gedanke vernünftig, daß viele Israeliten das Volk, das sie unterdrückte, bewunderten, ägyptische Bräuche nachahmten und sich bei den Ägyptern einschmeichelten. Andere Israeliten fürchteten den Impuls, gleichermaßen zu handeln, und verdrängten ihn.

Man kann die gleiche Spannung in der religiösen Praxis entdekken. Die Götzenanbeterei ist unzweifelhaft die wichtigste der »Taten des Landes Ägypten«, vor denen die Israeliten gewarnt wurden. Einer alten Tradition zufolge waren sie in Ägypten ebenfalls Götzenanbeter – als Sklaven, welche die Religion ihrer Herren übernahmen (ohne in ihr ein Evangelium der Freiheit zu finden, wie es schwarze Sklaven im Christentum fanden). Hesekiel vertieft die nüchterne Erklärung von *Josua* 24, daß die Israeliten »jenseits des Stroms... andern Göttern (dienten)«.

> Die trieben Hurerei in Ägypten in ihrer Jugend; daselbst ließen sie ihre Brüste begreifen und den Busen Ihrer Jungfrauschaft betasten. (*Hesekiel* 23,3)

Und dann droht der Prophet dem Volk mit Vernichtung, weil es seine Hurerei aus Ägypten mit ins Gelobte Land gebracht habe, weil die Menschen weiterhin »mit allen schönen Gesellen in Assyrien buhlten und sich mit all ihren Götzen verunreinigten«. Dies ist die Sprache sexuellen Abscheus. Sie wird am deutlichsten in einer anderen Passage bei Hesekiel, in der er Israel als eine Frau beschreibt, die

> gedachte an die Zeit ihrer Jugend, da sie in Ägyptenland Hurerei getrieben hatte, und entbrannte gegen ihre Buhlen, welcher Brunst war wie der Esel und der Hengste Brunst. (*Hesekiel* 23,19-20)

Dies ist nicht die richtige Art, sich des Hauses der Knechtschaft zu erinnern, aber vielleicht schildert sie die Tiergötter Ägyptens recht treffend. Andererseits könnte sie sich auf orgiastische Formen des Gottesdienstes beziehen, wie sie häufiger mit den Göttern von Kanaan in Verbindung gebracht werden. Oder es könnte sich einfach nur um den üblichen metaphorischen Hinweis auf Götzenanbetung im allgemeinen handeln. Wie auch immer, Hesekiel läßt sich als Text über die sinnliche Faszination des Götzendienstes und den moralischen Ekel vor ihm verwenden. Der Prophet bringt den Ekel zum Ausdruck, aber er erkennt auch die Faszination, denn sie »entbrannte gegen ihre Buhlen«. In der Episode, die dem Goldenen Kalb gewidmet ist und mit der ich mich ausführlich im nächsten Kapitel beschäftigen werde, ist es Aaron, der die Faszination erkennt (und ihr vielleicht erliegt) und Moses, der den Ekel ausdrückt und in die Tat umsetzt. Aber nur beide zusammen lassen uns Ägypten mit hebräischen Augen sehen.[34]

Die Israeliten sahen das, was später als Entartung bezeichnet werden sollte – eine Hochkultur, in der es zu hoch herging: überreif, befleckt, korrupt, gleichzeitig aber üppig und verlockend. Durch einen außergewöhnlichen intellektuellen Streich (in *Exod.* 15 und *Deut.* 7) werden die Plagen, mit denen Gott die Ägypter bestrafte, in ägyptische Krankheiten verwandelt und zu Sinnbildern der Verderbnis des Landes gemacht – so daß die Rückkehr nach Ägypten auch die Ansteckung mit den »bösen Krankheiten Ägyptens« nach sich ziehen würde.[35] Dies ist die Rolle, die Ägypten meist in der späteren revolutionären Literatur spielt. Eine Rede des puritanischen Predigers Stephen Marshall vor dem Unterhaus im Jahre 1640 liefert ein typisches Beispiel: »Ägypten war nie stärker von Heuschrecken und Fröschen besudelt als unser Königreich mit schrecklicher Ruchlosigkeit, Unreinheit, Unterdrückung, Betrug und allem anderen, was dem Herrn als Gestank in die Nase sticht.« Der Gestank rührt, wie ich vermute, von *Exodus* 7 her, wo das Wasser des Nils in Blut verwandelt wird: »Und der Strom war stinkend.« Was Marshall zu schaffen macht, sind papistische Zeremonien und die Herrschaft der Bischöfe. Aber wir müssen Marshalls Argumentation durch die Worte eines weiteren puritanischen Geistlichen ergänzen, der betrübt von »dem natürlichen Papismus der Menge und unseres eigenen Herzens« sprach.[36]

Man könnte sagen, daß die Israeliten ebenso natürliche (naturalisierte) Ägypter wie Rebellen gegen ägyptische Knechtschaft und Verderbtheit waren. Im Grunde unterscheidet sich das Gelobte Land, das Gegenteil von Knechtschaft und Verderbtheit, gar nicht so stark von Ägypten, wie ich oben andeutete. Diese Tatsache wird recht deutlich in einem der bemerkenswerteren Abschnitte der Exodus-Geschichte mitgeteilt, der die von den Stammesführern Dathan und Abiram gegen Moses eingeleitete Rebellion beschreibt. Die beiden sollen gefragt haben: »Ist's zu wenig, daß du uns aus dem Lande geführt hast, darin Milch und Honig fließt, daß du uns tötest in der Wüste?« (*Num.* 16,13) Ägypten war gewiß ein Land, in dem Milch und Honig flossen, und dies wußten die Sklaven, selbst wenn sie nichts von seinen Genüssen kosten konnten oder wollten. Und das göttliche Versprechen wurde ihrem Bewußtsein angepaßt: Sie selbst sollten Milch und Honig erhalten, Milch und Honig ohne die bösen Krankheiten der Ägypter. Das Gelobte Land verfügt ebenfalls über den Wohlstand des Hauses der Knechtschaft, doch dies soll ein Wohlstand sein, der von mehr Menschen geteilt wird als in Ägypten, und es soll ein Wohlstand sein, der niemanden verdirbt. Wenn er jedoch nicht geteilt wird und die Menschen verdirbt, dann ist es an der Zeit, wieder die Exodus-Geschichte heranzuziehen.

Ohne die neuen Ideen der Unterdrückung und Verderbtheit, ohne das Gefühl für Ungerechtigkeit, ohne moralischen Abscheu wären weder Exodus noch Revolution möglich. Im Text, wie er uns vorliegt, werden die neuen Ideen von ihren älteren Gegensätzen überschattet: das Gefühl für Ungerechtigkeit von Resignation, Abscheu von Sehnsucht. Die Schatten sind scharf gezeichnet; dies ist ein Teil des Realismus der biblischen Geschichte. Aber es sind die neuen Ideen, die das neue Ereignis bestimmen. Sie liefern dem Exodus die Energie und legen seine Richtung fest. Die Richtung wird nicht nur für die Rettung Israels, sondern auch für alle späteren Interpretationen und Anwendungen jener Rettung festgelegt.

Fortan ist jeder Schritt auf Ägypten zu ein Rückschritt: eine »Rückkehr« durch moralische Zeit und moralischen Raum. Als Milton im Jahre 1660 über die Engländer schrieb, sie »wählten sich einen Führer zurück nach Ägypten«, wollte er keine bloße Rückkehr (oder eine zyklische Wiederholung), sondern eine Rückentwicklung, einen »Rückfall« in Knechtschaft und Verderbtheit beschreiben.[37] Der Rückfall ist nicht unverständlich, denn Ägypten ist eine komplexe Realität. Aber er stellt eine Niederlage dar. Er ist das Paradigma der revolutionären Niederlage.

Kapitel II

DAS MURREN: SKLAVEN IN DER WÜSTE

I

In einem Iossif Brodskij gewidmeten Gedicht, das die Geschichte des biblischen Joseph einbezieht, benutzt Anthony Hecht die prächtige Wendung »Ägypten... jene alte Schule der Seele«.[1] Der Gedanke, daß Ägypten eine Schule oder zumindest eine Art Ausbildungsplatz sei, ist in der Exodus-Literatur recht verbreitet. Wahlweise wird Ägypten als ein Ofen beschrieben, der »eiserne Ofen« von *Deuteronomium* 4,20, den die Rabbis als einen Schmelztiegel zur Herstellung von Edelmetallen erklären; was dabei herauskommt, ist mutmaßlich reines Gold. Dies ist eine optimistische Betrachtungsweise der Folgen, welche die Unterdrükkung für gewöhnliche Männer und Frauen hat. Viele Jahre später vertrat Savonarola die gleiche Ansicht, als er die Textstelle, »Aber je mehr sie das Volk drückten, je mehr es sich mehrte und ausbreitete« (*Exod.* 1,12), erläuterte und dabei wohl an das florentinische Volk unter der Herrschaft der Medici dachte. Die Israeliten, meinte Savonarola, hätten sich der Zahl nach vermehrt und an Energie gewonnen. In seiner nächsten Predigt sprach er enthusiastisch von Mosis Ermordung des ägyptischen Fronvogts.[2] Dies war gewiß ein Beispiel von Energie, nicht jedoch von einer durch Heimsuchung erzeugten Energie. Denn Moses war am Hof des Pharaos aufgewachsen und hatte nie mit Ziegeln und Mörtel gearbeitet (wahrscheinlich hatte er überhaupt nie gearbeitet). Wir finden eine realistischere Darstellung dessen, was man in »jener alten Schule der Seele« lernte, in einer rabbinischen Interpretation der Ermordung des Fronvogts. Erinnern wir uns an den Text:

> Zu den Zeiten, da Mose war groß geworden, ging er aus zu seinen Brüdern und sah ihre Last und ward gewahr, daß ein Ägypter schlug seiner Brüder, der Hebräischen, einen. Und er wandte sich hin und her und da er sah, daß kein Mensch da war, erschlug er den Ägypter und scharrte ihn in den Sand. (*Exod.* 2,11-12)

Wir könnten annehmen, Moses habe sich einfach nur vergewissern wollen, daß er unbeobachtet sei, denn die Ermordung eines Fronvogts muß im Hause der Knechtschaft ein schweres Verbrechen gewesen sein. Aber der Prophet Jesaja äußert eine andere Ansicht bei einer Beschreibung göttlicher Gerechtigkeit, die offensichtlich an den Exodus-Text anklingt. Jesaja stellt sich vor, GOTT habe auf das Böse in der Welt und auf die Sünden Israels hinuntergeblickt und irgendeine menschliche Reaktion erwartet:

> Und er sieht, daß niemand da ist, und verwundert sich, daß niemand ins Mittel tritt. Darin hilft er sich selbst mit seinem Arm, und seine Gerechtigkeit steht ihm bei. (*Jesaja* 59,16)

In diesem Sinne argumentierten einige Rabbis, Moses habe, als er sich hin und her wandte, einen Hebräer gesucht, der bereit war, einzuschreiten und den geprügelten Sklaven zu verteidigen; er habe nach einem *wirklichen* Mann, einem stolzen und rebellischen Geist, Ausschau gehalten. Und als er kein Zeichen von Widerstand bemerkte, als er, laut einem Midrasch-Kommentar, sah, »daß niemand bereit war, für die Sache des Heiligen, ER sei gesegnet, zu kämpfen«, habe er selbst in der Hoffnung gehandelt, sein Volk aufzurütteln und »dessen Rücken zu stärken«. Diese Interpretation ist, wie wir hören, die Quelle der Hillel zugeschriebenen Maxime: »Wo kein Mann ist, versuch, einer zu sein.«[3] (Ich sollte anmerken, daß das Wort »Mann« hier als Gattungsname benutzt wird, denn unter den wenigen »Männern« in der Exodus-Geschichte sind zwei Frauen, die Hebammen aus *Exodus* 1, die sich weigern, den Befehl des Pharaos zur Tötung der neugeborenen Söhne der Israeliten auszuführen.)

Was die Mehrheit der Sklaven in Ägypten lernte, war Dienstbarkeit und sklavische Gesinnung. Sie lernten, wie ich im letzten Kapitel aufgeführt habe, ihre Herren nachzuahmen, aber nur folgsam aus der Entfernung, nur in ihren Sehnsüchten; sie ließen die Erniedrigung der Sklaverei Einzug halten in ihre Seelen. Dies ist eine mögliche Bedeutung der Zeile, »Er sah, daß kein Mensch da war«, und es ist eines der Hauptthemen der Exodus-Geschichte sowie der frühen und späten interpretativen Literatur. Ich werde einige charakteristische Passagen behandeln, bevor ich mich der wichtigsten zuwende, *Exodus* 32, der Geschichte vom Goldenen Kalb. Ich möchte dabei deutlich machen, daß in dem Text eine These über die moralischen und psychologischen Folgen der Unterdrückung enthalten ist. Das Argument hat bemerkenswerte Ähnlichkeit mit dem von Stanley Elkins in seinem bekannten und stark umstrittenen Buch über die Sklaverei im amerikanischen Süden.[4] Übrigens hätte Elkins gut daran getan, den Exodus heranzuziehen, statt sich, was sein Vergleichsmaterial angeht, auf den extremeren Fall des Holocaust zu stützen. Denn der Süden glich eher einem Haus der Knechtschaft als einem Todeslager. Ohnehin gibt es eine lange Tradition, in der man sich auf die sklavische Gesinnung der Israeliten beruft, um zunächst ihre vierzigjährige Wanderung durch die Wüste sowie ihre wiederholten Versuche, nach Ägypten zurückzukehren, und später die Schwierigkeiten revolutionärer oder befreierischer Politik zu erklären.

Ich werde mit einer Geschichte beginnen, die nur eine sehr dürftige textliche Grundlage hat, doch dessen ungeachtet einen Einblick in die Realitäten der Exodus-Politik verschafft. Als GOTT aus dem brennenden Dornbusch spricht, befiehlt er Moses, nach Ägypten zurückzukehren, die Ältesten Israels um sich zu versammeln und mit ihnen dem Pharao gegenüberzutreten (*Exod.* 3,18). Also rufen Moses und Aaron die Ältesten zusammen und berichten ihnen von der kommenden Rettung. Aber als sie vor den Pharao treten, scheinen sie allein zu sein: »Darnach gingen Mose und Aaron hinein und sprachen zu Pharao: So sagt der Herr, der GOTT Israels: Laß mein Volk ziehen...« (*Exod.* 5,1). Was geschah mit den Ältesten? Dies ist die Midrasch-Darstellung:

> Unsere Rabbis sagen: Die Ältesten gingen am Anfang mit, stahlen sich dann aber heimlich davon, einzeln oder zu zweit, und verschwanden. Da (Moses und Aaron) den Palast des Pharaos erreichten, war kein einziger mehr da. Dies wird vom Text bezeugt: »Darnach gingen Moses und Aaron hinein...« Aber wo waren die Ältesten? Sie hatten sich davongestohlen.[5]

Und zwar deshalb, sagt Raschi, »weil sie sich fürchteten«.[6] Diese

Worte sollen wahrscheinlich an *Exodus* 14,10 erinnern, wo die Israeliten zwischen dem ägyptischen Heer und dem Roten Meer gefangen sind: »Und da Pharao nahe zu ihnen kam, hoben die Kinder Israel ihre Augen auf, und siehe, die Ägypter zogen hinter ihnen her, und sie fürchteten sich sehr...« Wie die Ältesten verhielt sich auch das Volk als Ganzes: Alle Israeliten fürchteten sich vor ihren Herren, waren nicht bereit, dem Pharao in seinem Palast gegenüberzutreten, sie wurden von dem Anblick seines Heeres eingeschüchtert. Dem biblischen Bericht zufolge gehörten den israelitischen Stämmen, die aus Ägypten hinausmarschierten, sechshunderttausend Mann an. Weshalb sollte eine so große Zahl von Menschen, fragt der mittelalterliche Kommentator Abraham Ibn Ezra, um ihr Leben fürchten? Weshalb wandten sie sich nicht um und leisteten Widerstand? Dazu seien sie psychisch nicht in der Lage gewesen; sie hätten unter einer Sklavenmentalität gelitten, seit Jahrhunderten hätten sie sich nicht selbst verteidigt – jedenfalls nicht durch Kampfhandlungen.[7] Tatsächlich dürften diese Männer alles andere als mutig gewesen sein. In *Exodus* 6,9 heißt es: »Aber sie hörten ihn (Moses) nicht vor Seufzen und Angst und vor harter Arbeit.« Die hebräische Vorlage der Wendung »Seufzen und Angst« ist *kotzer ruach,* wörtlich »Mangel an Mut«, ein Idiom für Ungeduld, das hier jedoch, wie ich meine, buchstäblich als »Mutlosigkeit« zu verstehen ist.

Das Buch *Exodus* beschreibt ein Volk, das von Unterdrückung niedergebeugt ist, gebrochen, verängstigt, untertänig, verzweifelt. Die gleiche Kennzeichnung wird immer wieder von späteren Reformern und Revolutionären verwendet, wenn sie sich über den Widerwillen ihres eigenen Volkes beklagen, gegen die Tyrannei aufzustehen. Sogar Savonarola, der bekanntlich behauptete, die Unterdrückung sei nur förderlich für die Energie der Israeliten gewesen, konnte diese Klage nicht immer vermeiden. »Seufzen und Angst« drückten nichts als Kleinmut aus, sagte er in der siebzehnten seiner Exodus-Predigten, und dies sei nicht nur ein hebräischer, sondern auch ein florentinischer Zustand: »Ihr tut mir an, was die Israeliten Moses antaten...«[8] Das heißt, ihr lauscht meinen

Worten nicht oder schließt euch mir nicht an, wenn ich den Tyrannen gegenübertrete. Ein amerikanischer Geistlicher äußerte sich 1774 in einer Predigt in Plymouth noch pessimistischer: »Der Freiheit beraubte, unterdrückte und versklavte Menschen... werden dumm und minderwertig im Geiste, träge und kriecherisch, gleichgültig jeder wertvollen Verbesserung gegenüber und kaum zu irgendeiner fähig.«[9] Von diesem Standpunkt aus war der revolutionäre Kampf, der bereits begonnen hatte, zum Scheitern verurteilt. Aber die Unterdrückung in den amerikanischen Kolonien (zumindest die britische Unterdrückung, im Unterschied zu der örtlichen Unterdrückung der Sklaven und Dienstverpflichteten) scheint doch eher eine Statusfrage gewesen zu sein: Das britische Königreich war eine sehr ferne Tyrannei. Die Idee der »Mutlosigkeit und grausamen Knechtschaft« hat, wie ich glaube, mehr Gewicht im heutigen Lateinamerika. Croatto hat eine lange Liste konkreter Fälle, in denen er die Bedeutung der Exodus-Unterdrückung »wiederentdeckt«: Die Sklaven verinnerlichen ihre eigene »zermalmte Identität«.[10]

Vielleicht lernten die hebräischen Sklaven in Ägypten, Mitleid mit anderen in einer ähnlichen Misere zu empfinden. So interpretiert ein zeitgenössischer Rabbi die Metaphern von der »Schule« und dem »Ofen«: »Die ägyptische Knechtschaft diente dazu, uns die Eigenschaft der Güte einzupflanzen...«[11] Dies mag stimmen, aber sie pflanzte den Hebräern nicht die Eigenschaften der Initiative, Selbstachtung, des Zorns über die Unterdrückung, der Kampfbereitschaft ein. Solche Eigenschaften werden in den früheren Teilen der Exodus-Geschichte von Moses und – natürlich – von GOTT Selbst verkörpert. Aber ich will diesen Gesichtspunkt nicht überstrapazieren, denn es gibt einige Texthinweise darauf, daß die Israeliten politisch gespalten waren. In einer folkloristischen Darstellung jenes Augenblicks am Meer (der in zahlreichen Geschichten und Gedichten vertieft wurde) wird behauptet, nur einige der Menschen hätten sich »sehr gefürchtet« und sich die Rückkehr in die Knechtschaft gewünscht, während andere zum Kampf bereit gewesen und noch andere, schon bevor die Wasser sich teilten, ins Meer getaucht seien, weil sie mit göttlicher Hilfe gerechnet hätten.[12] Allein die Tatsache, daß die Sklaven in Ägypten »zu dem HERRN schrien«, läßt vermuten, wie Croatto fortfährt, daß »sie den Zustand der Unterdrückung noch nicht ganz verinnerlicht hatten«.[13] Sie hätten sich immer noch irgendeine Vorstellung von sich selbst als freien oder potentiell freien Männern und Frauen bewahrt. Das Bild eines Volkes, dem eine solche Vorstellung fehlt, das völlig entmutigt und herabgewürdigt ist, begünstigt eine revolutionäre Politik, in deren Verlauf Männer und Frauen von ihren Befreiern mit der gleichen Verachtung behandelt werden wie von ihren Unterdrückern. Hegel bereitet dieser Art Politik die Bühne, indem er das jüdische Volk in seinem *Geist des Christentums* verächtlich abtut:

> Für die Juden wird Großes getan, aber *sie* beginnen nicht mit Heldentaten... Die Juden siegen, aber sie haben nicht gekämpft... Es ist kein Wunder, daß dieses in seinem Freiwerden sich am sklavischsten betragende Volk bei jeder in der Folge vorkommenden Schwierigkeit oder Gefahr... Reue, Egypten verlassen zu haben... zeigte.[14]

Man könnte von den meisten der großen revolutionären Befreiungen eine ähnliche Interpretation geben. Für die Engländer im Jahre 1640 und die Franzosen im Jahre 1789 und die Russen im Jahre 1917 gilt ebenfalls, daß »etwas Großes getan wurde«. Das alte Regime war stark geschwächt und wurde in Wahrheit von äußeren Kräften gestürzt, nicht von einer inneren und heroischen Widerstandsbewegung. Revolutionäre Politik, in ihrem umfassenden Sinne, beginnt erst nach dem Zusammenbruch oder dem sich anbahnenden Zusammenbruch der Staatsmacht. Aber daraus läßt sich nicht schließen, daß unterdrückte Männer und Frauen überhaupt nichts mit ihrer eigenen Befreiung zu tun hätten.

Revolutionstheoretiker (und Exodus-Schriftsteller) lassen sich in zwei Gruppen unterteilen: in jene, die glauben, daß die Befreiung der Unterdrückten sich stets wie bei Hegels Juden vollziehen werde, als Geschenk GOTTES (oder des geschichtlichen Prozesses oder der Avantgarde); und in jene, die glauben, daß die Befreiung zumindest in gewissem Grade das Werk der Unterdrückten selbst sein müsse. Bei jüdischen Autoren herrschte aus offensichtlichen Gründen immer ein gewisser Widerstand gegen Argumente wie die Hegels – selbst wenn dies bedeutete, daß man leugnen mußte, Israels Befreiung sei ausschließlich das Werk von GOTTES mächtiger Hand gewesen. Jedenfalls ist Hegels Ansicht unrealistisch, denn wenn GOTT einzig und allein verantwortlich gewesen wäre, hätte das Volk sich niemals zurückhalten können, was es ja bekanntlich tat; und wenn es sich zurückhalten konnte, dann war es auch fähig voranzuschreiten.

> Rabbi Eliezer sagte: Dies ist Israel hoch anzurechnen, denn als Moses ihnen sagte: »Macht euch auf und ziehet aus«, antworteten sie nicht: Wie können wir in die Wüste hinausziehen, wenn wir keine Nahrung für den Weg haben? Sondern sie bewiesen ihren Glauben und zogen aus.[15]

II

Aber der biblische Text unterschätzt die Furchtsamkeit des Volkes zu keinem Zeitpunkt, und das ist seine große Stärke. Wir erfahren nicht aus dem Text, welche Formen die Furchtsamkeit während der langen Jahre der Knechtschaft annahm. Die Geschichte jener Jahre wird zu schnell erzählt. Deshalb gibt es in der jüdischen Literatur keine Gestalt wie den von Elkins beschriebenen Sambo, den Sklaven, der den Taten seiner Herren Vorschub leistet, der elend, kindlich und nicht für sein Handeln verantwortlich ist. Vermutlich gab es solche Hebräer in Ägypten; vielleicht werden wir sie eines Tages in der ägyptischen Literatur beschrieben finden. Die Juden lieferten ein anderes Klischee, den »Murrer«, den wir uns als Sambo in der Wüste denken könnten: nicht als jemanden, der sich seinem Sklaventum angepaßt hat, sondern als jemanden, der sich endlos über seine Befreiung beklagt.

Es gibt viele Beispiele dieses »Murrens«, aber am besten betrachten wir einen Abschnitt, den ich bereits angeführt habe, nämlich *Exodus* 16,2-3:

> Und es murrte die ganze Gemeinde der Kinder Israel wider Mose und Aaron in der Wüste und sprachen: Wollte GOTT, wir wären in Ägypten gestorben durch des HERRN Hand, da wir bei den Fleischtöpfen saßen und hatten die Fülle zu essen; denn ihr habt uns darum ausgeführt in diese Wüste, daß ihr diese ganze Gemeinde Hungers sterben lasset.

Das Manna-Wunder folgt, und GOTT, wäre ER nicht allwissend, hätte vernünftigerweise annehmen können, daß das Volk fortan zufrieden sein werde. Er hatte die Menschen aus der Knechtschaft geführt, das Meer für sie geteilt, das Heer des Pharaos vernichtet, sie in der Wüste ernährt – und das hätte genug sein müssen. Aber es war nicht genug: Das Manna in der Wüste erzeugt die Sehnsucht nach Fleisch im Hause der Knechtschaft, und im Buch *Numeri* wird die Klage erneuert:

> Wer will uns Fleisch zu essen geben? Wir gedenken der Fische, die wir in Ägypten umsonst aßen, und der Kürbisse, der Melonen, des Lauchs, der Zwiebeln und des Knoblauchs. Nun aber ist unsre Seele matt; denn unsre Augen sehen nichts als das Man. (*Numeri* 11,4-6)

Das Murren in diesen beiden Passagen spiegelt wohl die normale Besorgnis von Männern und Frauen wider, die den Schwierigkeiten des Marsches, der schrecklichen Kargheit der Wüste ausgesetzt sind. GOTT und Moses blicken weiter voraus, sie sehen das Gelobte Land vor sich und meinen, um dieses Zieles willen lasse sich jede Entbehrung ertragen. Aber das Volk – oder viele seiner Angehörigen – war sich des Ziels nicht sicher und meinte, daß die wahre Prüfung göttlicher Macht und Fürsorge greifbarer zu sein habe: »Ja, GOTT sollte wohl können einen Tisch bereiten in der Wüste?« (*Psalmen* 78,19) Der Pharao gab seinen Sklaven wenigstens Nahrung, und zwar, wie sie sich (vielleicht fälschlich) erinnerten, reichliche Nahrung. Der Konflikt besteht also zwischen dem Materialismus des Volkes und dem Idealismus seiner Führer oder zwischen den Bedürfnissen der Gegenwart und dem Versprechen der Zukunft. Dies sind verbreitete politische Formeln, und sie werden auf sehr vielfache Art in der rabbinischen Literatur entwickelt, gewöhnlich, doch nicht stets, auf solche Weise, die wenig Sympathie für das Volk und die Gegenwart erkennen läßt. Die gleiche Auseinandersetzung tritt auch später wieder auf. In einer der bedeutendsten Predigten der Englischen Revolution – sie wurde am Tag nach der Hinrichtung von Karl I. im Unterhaus gehalten – geißelte John Owen die Engländer als ein Volk, das unfähig sei, sich auf »seine näherrückende Freiheit« zu konzentrieren, und statt dessen verlange, daß die neue Regierung für sofortige Abhilfe sorge:

> Fehlt es (dem Volk) an Getränk? Moses ist die Ursache. Fehlt es ihnen an Fleisch? Dieser Moses will sie verhungern lassen. Er wollte sie nicht in Ruhe bei den Fleischtöpfen Ägyptens sitzen lassen; dafür sind sie bereit ihn zu steinigen. Haben wir an diesem Tag zuviel Regen oder eine zu geringe Ernte? Es wird der gegenwärtigen Regierung zur Last gelegt.[16]

Dasselbe Thema wird 1777 von einem Prediger in New Haven angeschnitten:

> ... Wie rasch versagt unser Glaube, und wir beginnen, gegen Moses und Aaron zu murren, und wünschen uns, wieder in Ägypten zu sein, wo wir einige Annehmlichkeiten des Lebens hatten, deren wir nun beraubt sind? Und wir berücksichtigen nicht, daß ... jede Befreiung mit großen Problemen und Schwierigkeiten verbunden ist ...[17]

Aber dies ist eine zu einfache Schilderung des Murrens, denn es geht nicht nur um die Schwierigkeit, sondern um den eigentlichen Sinn der Befreiung – mehr noch, der Freiheit selbst. Die Rabbis nähern sich diesem entscheidenden Punkt durch eine ausgefeilte Interpretation des Satzes: »Wir gedenken der Fische, die wir in Ägypten umsonst aßen.« Das heißt offenbar: unentgeltlich; der Pharao soll folgendermaßen argumentiert haben: »Wie können (die Sklaven) mit leerem Magen schwer arbeiten und gute Ergebnisse erzielen?« Deshalb gab er ihnen zu essen. Moderne Kommentatoren zitieren Herodot, der an einer der Pyramiden die Inschrift gelesen haben wollte, daß sechzehnhundert Portionen Knoblauch und Zwiebeln für die Arbeiter bereitgestellt worden seien.[18] Aber manche Rabbis beharrten darauf, daß »umsonst« mit »frei von Geboten« gleichgesetzt werden müsse. Denn die Wüste war nicht nur eine Welt der Kargheit, sie war auch eine Welt der Gesetze – des gesamten, von Moses begründeten Normensystems, der Ernährungsvorschriften, des Verbots, am Sabbat zu kochen, und so weiter. Sogar das Manna war mit Regeln und Vorschriften erschienen; denn GOTT sagte: »... daß ich's versuche, ob's in meinem Gesetz wandle oder nicht« (*Exod.* 16,4). Gegen all dies rebellierte das Volk, das sich nun an Ägypten als ein Haus der Freiheit erinnerte.[19]

Tatsächlich ist eine Art Freiheit in der Knechtschaft enthalten; es ist eines der ältesten Themen in der politischen Philosophie, vor allem im klassischen und neoklassischen Republikanismus und im calvinistischen Christentum, daß Tyrannei und (negative) Freiheit einander ergänzten. Der unmündige und jeder Verantwortung entbundene Sklave oder Untertan ist auf eine Weise frei, wie der republikanische Bürger und der protestantische Heilige es nie sein können. Und die Freiheit schließt eine Art Bindung *(bondage)* ein: dem Gesetz, der Verpflichtung und der Verantwortung gegenüber. Wahre (positive) Freiheit liegt nach rabbinischer Anschauung in der Knechtschaft für GOTT. Die Israeliten waren die Sklaven des Pharaos gewesen; in der Wüste wurden sie zu Gottes Dienern – das hebräische Wort für beide ist dasselbe – und nachdem sie Gottes Herrschaft akzeptiert haben, zwingen ER und Moses, Sein Stellvertreter, sie, frei zu sein. Laut Rousseau war dies Mosis größte Leistung: Er habe eine Schar »elender Flüchtlinge«, denen es sowohl an Tugend als auch an Mut gebrach, in »ein freies Volk« verwandelt. Dies sei ihm nicht nur dadurch gelungen, daß er ihre Ketten löste, sondern auch dadurch, daß er sie zu einer »politischen Gesellschaft« organisierte und ihnen Gesetze gab.[20] Er brachte ihnen das, was in der Gegenwartsphilosophie »positive Freiheit« genannt wird, also nicht etwa eine regellose Lebensweise

– ganz im Gegenteil! –, sondern eine Lebensweise, deren Regeln sie akzeptieren konnten und auch tatsächlich annahmen. Die Idee, daß ein solcher Zustand (sc. des Gehorsams gegenüber selbstgesetzten Regeln) zu Recht als Freiheit zu bezeichnen sei, wird in der neueren philosophischen Literatur stark kritisiert, und zuweilen mit gutem Grund, aber sie enthält nichtsdestoweniger eine profunde Wahrheit über den Verlauf der Befreiung. Die israelitischen Sklaven konnten nur dadurch frei werden, daß sie die Disziplin der Freiheit akzeptierten, die Verpflichtung, einem gemeinsamen Maßstab gerecht zu werden und die Verantwortung für ihre eigenen Handlungen zu übernehmen. Sie akzeptierten tatsächlich einen gemeinsamen Maßstab – daher der Sinai-Bund (das Thema des 3. Kapitels) –, aber sie hatten diesem Maßstab gegenüber auch Vorbehalte und fürchteten die Verantwortung, die er nach sich zog. Sie hatten das, was wir uns als eine ägyptische Freiheitsidee vorstellen können.

Deshalb mußte die Wüste zu einer neuen Schule der Seele werden. Aus diesem Grund mußten die Israeliten eine so lange Zeit in der Wüste verbringen. Sie marschierten nicht auf dem direkten Weg von Ägypten nach Kanaan, sondern GOTT führte sie auf Umwegen dorthin. In seinem *Führer der Unschlüssigen* erklärt Maimonides diese indirekte Methode: »Denn ein plötzlicher Übergang von einem Gegensatz zum anderen ist unmöglich ... es liegt nicht im Wesen des Menschen, daß er, nachdem er im Sklavendienst aufgezogen wurde ... mit einemmal den Schmutz (der Sklaverei) von seinen Händen waschen kann.« Typischerweise erkennt Maimonides die Schwierigkeiten der Befreiung an und ist bereit, dem hebräischen Murren mit Nachsicht zu begegnen, und er versteht GOTT nach seinem eigenen Bilde: »Die Gottheit benutzt eine huldvolle List, wenn sie (das Volk) veranlaßt, verwirrt durch die Wüste zu wandern, bis seine Seelen tapfer geworden sind ... und bis zudem Menschen geboren werden, die sich nicht an Erniedrigung und Knechtschaft gewöhnt hatten.«[21] Wie Nehama Leibowitz angemerkt hat, ist dies eine rabbinische Formel für die »Unvermeidlichkeit der schrittweisen Reform« des fabianischen Sozialismus.[22] Mit bewußt unverfrorenem Anachronismus möchte ich dies als die sozialdemokratische Version des Exodus beschreiben. Der Gedanke wird merkwürdigerweise und gewiß unbewußt von Karl Marx aufgenommen, wenn er über die Nachwirkungen von 1848 schreibt:

> Die Revolution, die hier nicht ihr Ende, sondern ihren organisatorischen Anfang findet, ist keine kurzatmige Revolution. Das jetzige Geschlecht gleicht den Juden, die Moses durch die Wüste führt. Es hat nicht nur eine neue Welt zu erobern, es muß untergehen, um den Menschen Platz zu machen, die einer solchen Welt gewachsen sind.[23]

Maimonides schreibt von jenen, die zur Welt kommen werden, Marx äußert sich schroffer über jene, die zu sterben haben. Keiner von beiden spricht an diesen Stellen von der großen Zahl Hebräer, die man töten wird. Aber es gibt Gewalt in der Wüste, nicht nur Wanderung und Murren, sondern auch Kämpfe, internen Krieg und göttliche Strafe. Wir werden uns der Lösung der Probleme, die von sklavischer Gesinnung und Befreiung aufgeworfen werden, nicht nähern, bevor wir uns nicht die Episode um das Goldene Kalb genauer angesehen haben: Dort verwandelte sich das Murren des Volkes in so etwas wie eine Konterrevolution – und dort wurden die Murrenden mit Methoden abgefertigt, die sich von der »huldvollen List« des Maimonides stark abheben.

III

Die Leser dieses Buches wissen wahrscheinlich mehr über das Goldene Kalb, als sie annehmen. Aber ich werde die Geschichte kurz nacherzählen. Moses ist nun seit vierzig Tagen auf dem Berg, und die Menschen am Fuße des Sinai sind verängstigt und besorgt über seine Abwesenheit. Oder, besser gesagt, einige von ihnen sind besorgt und verängstigt; diese Einschränkung ist nötig, denn später läßt der Text keinen Zweifel daran, daß die am Fuße des Berges

Wartenden nicht eines Sinnes waren. »Mißtrauen überwältigte einen Teil dieses großen Volkes«, schreibt Juda Halevi in seinem *Buch Kusari*, »und sie begannen, sich in Parteien und Fraktionen zu teilen ...«[24] Eine dieser Parteien nähert sich Mosis Bruder Aaron und fordert, daß er ihnen ein Götzenbild, einen sichtbaren Gott mache. Aaron ist so charakterschwach, dem Verlangen nachzugeben, sammelt den goldenen Schmuck des Volkes und formt das geschmolzene Metall zu einem Kalb – oder, wohl eher, zu einem Jungstier. Das Volk betet das Götzenbild an, ißt, trinkt und »spielt« vor ihm. Das hebräische Wort für »spielen«, *litzachek*, hat laut Raschi sexuelle Untertöne: Die Anbetung war orgiastisch.[25] GOTT ist erzürnt und läßt Moses wissen, was am Fuße des Berges geschieht. ER will das Volk vernichten, das ER gerade befreit hat, und Mosis Geschlecht »zum großen Volk« machen. Aber Moses fleht GOTT um Schonung an und erringt Sein Versprechen letztlicher Vergebung. Dann steigt Moses mit den Tafeln den Berg hinunter, betritt das Lager, erblickt das Volk (oder einige Angehörige des Volkes) bei der Götzenverehrung und ist so zornig wie GOTT, als ER das gleiche gewahrte. Moses zerschmettert die Tafeln und mobilisiert seine Anhänger:

> Hier zu mir, wer dem HERRN angehört! Da sammelten sich zu ihm alle Kinder Levi. Und er sprach zu ihnen: So spricht der HERR, der GOTT Israels: Gürte ein jeglicher sein Schwert um seine Lenden und durchgehet hin und zurück von einem Tor zum andern das Lager, und erwürge ein jeglicher seinen Bruder, Freund und Nächsten. Die Kinder Levi taten, wie ihnen Mose gesagt hatte; und fielen des Tages vom Volk dreitausend Mann. (*Exod.* 32,26-28)

Man könnte in diesem Zusammenhang zahlreiche Punkte anschneiden und umfassendes exegetisches und kritisches Schrifttum abhandeln. Ich werde mich nur auf ein paar Zentralthemen beschränken. Da ist zuerst das Goldene Kalb selbst. Einige moderne Gelehrte meinen, das Götzenbild sei kanaanitischer Herkunft und man habe die ganze Geschichte später eingefügt – als Propaganda gegen das nördliche Königreich Israel, wo während der Herrschaft von König Jerobeam ein Altar mit goldenen Stieren errichtet worden war.[26] Aber die Ägypter beteten ebenfalls einen Stiergott – Apis – an, und die Geschichte verliert viel von ihrer Bedeutung, wenn sie aus dem Exodus-Kontext gelöst wird. Zumindest verliert sie die Bedeutung, die sie innerhalb der von mir hier behandelten Traditionen hatte: in der jüdischen Darstellung der Befreiung (*deliverance*) und in der politischen Befreiungstheorie (*liberation*). Deshalb werde ich mich dem Philosophen Philo von Alexandria anschließen, der in seinem *Leben Mosis* sagt, daß das Volk »einen goldenen Stier formte, um das Tier nachzuahmen, das in (Ägypten) als das heiligste galt«; und ich werde mich dem puritanischen Prediger anschließen, der im Jahre 1643 schrieb: »Aus ägyptischen Juwelen machten sie ein ägyptisches Götzenbild ... sie hatten vor, nach Ägypten zurückzukehren«; und ich werde mich Lincoln Steffens anschließen, der in unserem eigenen Jahrhundert äußerte: »Die Kinder Israel kehrten zu ihren alten Göttern zurück, den Göttern der Ägypter.«[27] Dies ist die große Krise des Exodus.

Rabbinische Interpreten heben die Beziehung zwischen dem Goldenen Kalb und den Jahren in Ägypten an einem anderen Punkt der Geschichte hervor: als Moses GOTT um Gnade für sein Volk bittet. Die Textdarstellung des Gesprächs ist kurz und nicht ganz befriedigend. Moses scheint sich in einem abstrakten Disput durchzusetzen: Was würden die Ägypter sagen, fragt er, wenn DU ein Volk vernichtest, das sie bloß versklavt haben? Die Rabbis versuchten, sich vorzustellen, Moses habe das Volk auf positivere Weise verteidigt. Aber welches Argument könnte er zugunsten des Volkes anführen? Dessen Verbrechen war unzweifelhaft schwer; es hatte gerade erst den Bund mit GOTT geschlossen und Gehorsam geschworen: »Alles, was der HERR gesagt hat, wollen wir tun und gehorchen« (*Exod.* 24,7). Und nun hatte es sich durch Götzenanbetung »verderbt«. Was konnte Moses zu seinen Gunsten anführen? Die Frage war in den ersten Jahrhunderten unserer Zeitrechnung von besonderer Wichtigkeit, denn christliche Polemiker benutzten die Geschichte des Goldenen Kalbs, um zu beweisen, daß die Juden zwar einst von GOTT erwählt worden seien, die

Erwählung jedoch fast sofort zurückgewiesen und sich selbst geweigert hätten, GOTTES auserwähltes Volk zu sein.[28] Hier ist eine Erwiderung aus den Midraschim:

> Rabbi Huna sagte: Dies läßt sich mit einem klugen Mann vergleichen, der für seinen Sohn in einer häufig von Prostituierten besuchten Straße ein Parfümeriegeschäft eröffnete. Die Straße hatte ihre Wirkung, das Geschäft hatte ebenfalls einen Anteil, und die Jugend des Sohnes spielte auch eine Rolle – mit dem Ergebnis, daß er vom rechten Weg abwich. Als sein Vater ihn mit einer Prostituierten ertappte, begann er zu brüllen: »Ich bringe dich um.« Aber sein Freund, der dabei war, sagte: »Du hast den Charakter dieses Jungen verdorben, und trotzdem brüllst du ihn an! Du hast alle anderen Berufe außer acht gelassen und ihn nur gelehrt, ein Parfümeriehändler zu sein; du entsagtest aller anderen Bezirke und öffnetest einen Laden für ihn ausgerechnet in einer Straße, wo Prostituierte hausen!« Dies ist, was Moses sagt: »HERR des Alls! DU hast die ganze Welt nicht beachtet und Deine Kinder veranlaßt, gerade in Ägypten versklavt zu werden, wo alle (Götzen) anbeteten, von denen Deine Kinder lernten (verderbt zu handeln). Aus diesem Grunde haben sie ein Kalb gegossen! ... behalte im Gedächtnis, von wo DU sie herausgebracht hast!«[29]

All das ist GOTTES Schuld – was zwar nicht heißt, daß ER das Volk (direkt) veranlaßt habe, Götzen anzubeten, wohl aber, daß ER die Folgen ägyptischer Knechtschaft hätte voraussehen müssen. ER – denn wenn nicht ER, wer sonst? – müßte das Gewicht historischer Determination begreifen. Die Erfahrung von Unterdrückung habe ihre unvermeidlichen Folgen, und GOTT solle nun nicht ungeduldig (oder entmutigt) sein, wenn ER diese Folgen zu bewältigen habe. Hier haben wir wiederum das Argument für eine gradualistische Theorie der Befreiung. Physisch gesehen, ist die Flucht aus Ägypten unvermittelt, glorreich, vollständig; geistig und politisch gesehen, ist sie sehr langsam, erfordert zwei Schritte vorwärts und einen zurück. Ich möchte betonen, daß diese Lehre immer wieder aus der Exodus-Erfahrung gezogen wird. Ein gerade befreiter amerikanischer Sklave, der im Jahre 1862 an seine Kameraden schreibt, bietet ein gutes Beispiel: »Wir dürfen nicht nach Ägypten zurückblicken. Israel verbrachte vierzig Jahre in der Wüste ... Was macht es, wenn wir die grünen Felder Kanaans nicht sofort sehen können; Moses konnte es auch nicht ... Wir müssen die Ketten Satans zerbrechen und uns und unsere Kinder bilden.«[30] Das Bedürfnis nach Bildung ist, wie wir sehen werden, auch der Gegenstand – oder einer der Gegenstände – des biblischen Textes. Genauso äußert sich ein lateinamerikanischer Priester, der in den sechziger Jahren unseres Jahrhunderts schreibt und an das israelitische Murren denkt: Der Aufenthalt in der Wüste sei eine Zeit der Not und des Kampfes, »eines allmählichen und langwierigen Erziehungsprozesses mit Höhepunkten und Rückschlägen« im Laufe eines »langen Marsches«.[31]

Aber »ein allmählicher Erziehungsprozeß« ist eine sehr euphemistische Beschreibung für die Lektion, welche Moses sofort am Fuße des Berges erteilte – eine mit Blut geschriebene Lektion. Die Mobilisierung der Leviten und die Tötung der Götzenanbeter machen, von einem politischen Standpunkt betrachtet, einen absolut entscheidenden Moment im Übergang vom Hause der Knechtschaft zum Gelobten Land aus. Ich werde ihn – weil er in der frühen Neuzeit so beschrieben wurde – als die erste revolutionäre Säuberung beschreiben. Das Wort »Säuberung« (oder »Ausfegung«) wurde von den englischen Puritanern ins revolutionäre Vokabular eingebracht.[32] Sie übernahmen es vermutlich von *Hesekiel* 20, wo der Prophet die Exodus-Geschichte nacherzählt und den babylonischen Gefangenen einen neuen Exodus und eine neue Wüste verspricht:

> Wie ich mit euren Vätern in der Wüste bei Ägypten gerechtet habe, ebenso will ich mit euch rechten, spricht der HERR GOTT. Ich will euch wohl unter die Rute bringen und euch in die Bande des Bundes zwingen und will die Abtrünnigen und die, so wider mich auftreten, unter euch ausfegen; ja, aus dem Lande, da ihr jetzt wohnt, will ich sie führen und ins Land Israel nicht kommen lassen ... (*Hesekiel*, 20,36-38)

Die Rabbis neigten dazu, von den »Säuberungen« in der Wüste zu sprechen, als seien sie eine Art Polizeiaktion gewesen, doch selbst sie sahen in der Tötung der Götzenanbeter am Fuße des Berges Sinai eine politische Handlung von speziellem Charakter. Ihrer Meinung nach wurde dieser spezielle Charakter durch eine Auslassung im Text enthüllt: »Und er [Moses] sprach zu ihnen: So spricht der HERR, der GOTT Israels: Gürte ein jeglicher sein Schwert um seine Lenden ...« Aber GOTTES Befehl wird nicht gegeben, ER fordert nirgendwo dazu auf, die Götzenanbeter zu töten. Erfand Moses den Befehl? War er – mein Vergleichspunkt ist wieder bewußt anachronistisch – ein machiavellistischer Fürst und Befreier? Dies ist der Moses, den Machiavelli in seinen *Discorsi* beschreibt: »Wer die Bibel mit Scharfblick liest, wird sehen, daß Moses, um Gesetze und Einrichtungen herstellen zu können, eine sehr große Zahl von Menschen töten mußte ...«[33] Und sei es nicht leichter, das zu tun, was ohnehin getan werden müsse, wenn der Fürst göttliche Autorität beanspruchen könne? Manche der Rabbis vertraten einen machiavellistischen Standpunkt:

> Moses ging mit sich zu Rate und sagte in seinem Herzen: Wenn ich den Israeliten sage, jeder soll seinen Bruder töten, werden sie mir antworten: Mit welcher Berechtigung bringst du dreitausend Menschen an einem einzigen Tag um? Deshalb beschwor er die Ehre des Allerhöchsten und sagte: »So spricht der HERR ...«[34]

Andere Rabbis meinten, GOTT habe den Befehl tatsächlich erteilt, aber er sei so schrecklich gewesen, daß man ihn nicht habe aufzeichnen können. So schrecklich, weil Brüder und Nächste erschlagen wurden; so schrecklich, weil das Gemetzel einem Schnellgericht folgte, denn die Götzenanbeter wurden ohne Warnung und ohne Urteil getötet. Deshalb schrieb der mittelalterliche Kommentator Nachmanides: »Dies war eine Notstandsmaßnahme ... da es keine angemessene richterliche Warnung gab; denn wer hatte sie vor den Konsequenzen ihres Verbrechens gewarnt? ... Es war ein Befehl, der Moses mündlich mitgeteilt ... und nicht aufgezeichnet worden war.«[35] Eine Notstandsmaßnahme: sozusagen ein Akt der Staatsraison.

Ob der Befehl nun von GOTT oder von Moses herrührte, er war

jedenfalls von überragender Bedeutung. Nach vielen anderen Fällen des Murrens wurden die Menschen getötet, die Moses herausforderten, aber nicht so, wie die Götzenanbeter hier getötet werden. In anderen Fällen ist die Tötung GOTTES eigenes Werk, ein weiterer Beweis Seiner absoluten Macht und Seines entsetzlichen Zorns: »Und als es der HERR hörte, ergrimmte sein Zorn, und zündete das Feuer des HERRN unter ihnen an ...« (*Num.* 11,1). Nur hier sind es Menschen, welche die Vernichtung durchführen: Moses selbst und eine Reihe von Anhängern, die sich in einem kritischen Moment um ihn versammeln – und später zur levitischen Priesterschaft werden. Moderne Bibelwissenschaftler beschreiben diesen Teil der Geschichte zumeist als einen späten Zusatz (wobei sie heute annehmen, daß nicht die gesamte Geschichte ein später Zusatz ist), der die Rolle der Leviten rechtfertigen solle.[36] Aber die Geschichte, wie sie uns vorliegt, scheint ganz einleuchtend, wenn auch nicht immer auf besonders glückliche Weise. Der Erziehungsprozeß der Wüste ist nicht nur langsam, sondern auch ungleichmäßig; manche Menschen oder manche Gruppen von Menschen lernen schneller als andere. Manche engagieren sich rückhaltloser für den Bund, passen sich dem neuen Vorbild des auserwählten Volkes an, verinnerlichen das Gesetz zu einer Zeit, da dieses für die anderen noch ein äußerer Befehl, eine Bedrohung ihrer ägyptischen Bräuche ist. Mosis Ruf, »Her zu mir, wer dem HERRN angehört!«, zieht diese Männer neuen Typs an seine Seite, teilt die Gemeinschaft, schafft eine Untergruppe – wir könnten sie als eine Avantgarde bezeichnen –, deren Angehörige, zumindest in ihren eigenen Gedanken, das »freie Volk« der Zukunft vorwegnehmen. Genauer gesagt, sie werden die Beamten der Zukunft, die Priester und Bürokraten. Und vorläufig, in der Gegenwart, herrschen sie durch Gewalt; sie sind die Feinde der »Huld« und des stufenweisen Fortschreitens.

IV

Mosis Aufruf an die Leviten ist ein politischer Akt von größter Bedeutung, und als solcher hat er eine entscheidende Rolle in der westlichen politischen Philosophie gespielt. Ich möchte nun einige Beispiele für seine Zitierweise und Verwendung betrachten. Damit beabsichtige ich keine Übung in der Ideengeschichte, sondern ich möchte einen weiteren Versuch machen, die Bedeutung des Textes durch eine kritische Untersuchung der Interpretationen zu erfassen. An dieser Stelle wirft der Text eine deutliche Frage nach politischer Gewalt und den Vertretern der Gewalt auf, und so ist er im Laufe der Jahre ausgelegt worden. Oder auch nicht, denn man kann sich stets weigern, die Frage zu bedenken, indem man *Exodus* 32 ignoriert. In seinen *Jüdischen Altertümern* erzählt Josephus die Exodus-Geschichte recht detailliert, übergeht jedoch den Vorfall mit dem Goldenen Kalb und berichtet nur, daß unter den Menschen, die auf Mosis Rückkehr warteten, »ein Streit ausbrach.«[37] Ich habe den Verdacht, daß Josephus seine Leser glauben machen wollte, die Zeloten seiner eigenen Zeit seien die ersten radikalen Fanatiker der jüdischen Geschichte und besäßen keine biblische Befugnis. In Wirklichkeit waren Leviten oder Protoleviten die ersten, und sie zeigten ihren Fanatismus mit dem Schwert an.

Wann kann das Schwert zu Recht eingesetzt werden? Und von wem kann es zu Recht eingesetzt werden? Dies sind zentrale Probleme der politischen Philosophie, und wann immer sie diskutiert wurden, griff man über viele Jahre hinweg auf *Exodus* 32 zurück. Als zum Beispiel der heilige Augustinus sich schließlich überwand, die Verfolgung ketzerischer Christen durch den römischen Staat zu verteidigen, rechtfertigte er seinen neuen Standpunkt mit einer Interpretation des Mordes an den Götzenanbetern. Er räumte ein, daß das Schwert in den Händen römischer Beamter und donatistischer Ketzer gleich aussehe, aber es diene unterschiedlichen Zwecken:

> Wenn Gut und Böse die gleichen Taten ausführen und die gleichen Schmerzen erleiden, sind sie nicht durch das zu unterscheiden, was sie tun oder erleiden, sondern durch die jeweiligen Ursachen: Zum Beispiel unterdrückte der Pharao das Volk Gottes durch schwere Knechtschaft; Moses suchte dasselbe Volk durch strenge Bestrafung heim, als es sich der Gottlosigkeit schuldig gemacht hatte (Augustinus bezieht sich hier auf *Exod.* 32,27): Ihre Taten waren gleich, aber sie waren nicht gleich in dem, was ihr Eingreifen in die Wohlfahrt des Volkes motivierte – der eine war von Machtlust aufgeblasen, der andere von Liebe entflammt.[38]

»Von Liebe entflammt« ist eine hübsche Auslegung der biblischen Textstelle »(Moses) ergrimmte ... mit Zorn«. Aber am interessantesten an dieser Passage und an anderen Hinweisen des Augustinus auf die Geschichte des Goldenen Kalbs ist das völlige Fehlen der Leviten. Augustinus wollte die Aktivität der Beamten verteidigen; er beabsichtigte nicht, Privatleute für die Arbeit des Herrn einzusetzen, und deshalb hatte er nichts über Mosis Ruf nach Freiwilligen zu sagen. Wie Josephus verstummte er an einer maßgeblichen Stelle. Doch in den Jahren der Kreuzzüge rief man laut nach Privatleuten, und der Ruf wurde offenbar durch Beschwörungen von *Exodus* 32 gerechtfertigt. Denn hatte Moses nicht gesagt: »Gürte ein *jeglicher* sein Schwert um seine Lenden ...«? Dies jedenfalls war die Passage, der Thomas von Aquin sich stellen mußte, als er sich daranmachte, den christlichen Radikalen seiner eigenen Zeit zu antworten. Er betonte den ersten Teil von Mosis Rede: »So spricht der HERR, der GOTT Israels ...« Die Leviten hätten GOTTES direkten Befehl befolgt (Moses sei nur ein Bote gewesen), und deshalb habe es sich bei der Ermordung der Götzenanbeter »im Grunde« um Seine, nicht um ihre eigene Tat gehandelt.[39] Aber GOTT erteile solche Befehle nicht mehr, begehe solche Taten nicht mehr. Jahre später wiederholte Hugo Grotius die Argumentation des Thomas von Aquin: Er schrieb die Strenge der levitischen Strafe »göttlichem Ratschlag« zu und beteuerte, mit einer kräftigen Demonstration agnostischer Bestürzung, daß ein solcher Ratschlag keine Anleitung für die zeitgenössische Politik liefern könne:

»Kein zwingender Schluß läßt sich ziehen ... wir können seine Tiefe nicht ausloten ... wir könnten leicht einen Irrtum begehen.«[40]

Für Johannes Calvin und seine Anhänger war so etwas reine Feigheit. *Exodus* 32 habe offensichtlich einen Präzedenzfall gesetzt, und sie waren eher bereit als Augustinus oder Thomas von Aquin, diesen Präzedenzfall in einen historischen Rahmen einzufügen. Weil sie davon überzeugt waren, den gesamten Exodus nachzuvollziehen, waren sie in der Lage, den gesamten Text zu interpretieren. Die Reise durch die Wüste war zum Teil eine Metapher für ihre eigene Politik, zum Teil ein Vorbild. Auch sie waren der (papistischen) Unterdrückung entkommen, nur um in einen langen und schwierigen Kampf mit ihrem eigenen Volk verwickelt zu werden: GOTTES Erwählte gegen das, was ein puritanischer Prediger, in Anlehnung an den Exodus, »die gegnerische Wut einer verhärteten Menge« nannte.[41] Für Calvin war es wichtiger, daß die Leviten ihre Brüder als daß sie Götzenanbeter getötet hatten: »Ihr sollt euch mit Recht begierig auf Gottes Dienst zeigen«, erklärte er seinem Genfer Publikum, »indem ihr eure eigenen Brüder ohne Schonung tötet, damit in diesem Fall die Ordnung der Natur niedergetrampelt werde, um zu zeigen, daß GOTT über allem ist.«[42] Die politische Lehre wurde noch deutlicher von John Knox in einem kurzen Kommentar zu demselben Text gezogen: »GOTTES Wort zieht seine Erwählten nach sich, gegen weltliche Erscheinung, gegen natürliche Neigungen und gegen staatliche Gesetze und Verfassungen.«[43] Wie die letzten Worte verraten, war Knox die Unterscheidung zwischen Beamten und Privatleuten ganz gleichgültig. GOTT Selbst gebe Heiligen ohne Amt eine Beschäftigung.

Aber die Arbeit war niemals leicht. Sogar der »sanfte Moses«, erklärte ein puritanischer Prediger im Jahre 1643 vor dem Unterhaus, mußte manchmal ein »Mann des Blutes« sein.[44] Die Puritaner waren nicht überrascht darüber, daß das englische Volk, von der »Knechtschaft unter königlicher Macht« befreit, jeder weiteren Befreiung Widerstand leistete. Denn hatten die Israeliten nicht den

Gott, den sie erwählten, »durch Unglauben, Murren, Mißvergnügen und andere Verlockungen und Sünden« herausgefordert und erzürnt, wie Cromwell sagte?[45] Weshalb sollten die Engländer sich anders verhalten? Und Gott hatte streng reagiert, manchmal mit Seiner eigenen Hand, manchmal durch die von Ihm ernannten Vertreter. Es war nicht nötig, den Text mit machiavellistischem »Scharfblick« zu lesen, um die Strenge zu erkennen; man brauchte ihn einfach nur zu lesen – allerdings half es vielleicht, wenn man selbst das schwierige Terrain zwischen Knechtschaft und Verheißung überquerte (oder es sich vorstellte). Das Gelobte Land war nur zu erreichen, wenn man die Gegner des Marsches überwand und dann die widerwilligen Marschierer vorantrieb. Jedenfalls schien es so: Revolutionen bringen harte Männer und harte Frauen hervor. Von dieser Härte ist in den 1640er Jahren immer wieder zu hören, oft mit einem Exodus-»Beweis«. Schon 1641 teilte Samuel Faircloth den Unterhausabgeordneten mit: »Die göttliche Politik und das himmlische Mittel, ein gefährdetes Commonwealth und eine gefährdete Kirche wiederzugewinnen ... bestehen darin, daß jene, die Autorität unter Gott besitzen, all die verfluchten Dinge völlig abschaffen und ausrotten, durch die sie gestört wurden.«[46] Die »verfluchten Dinge« verdoppeln sich hier, denn aus Faircloth' Text geht eindeutig hervor, daß er die Götzen und die Götzenanbeter einschließt. Und jene, die Autorität unter Gott besitzen, sind zuallererst die Unterhausabgeordneten, doch bald die» gesäuberten« Unterhausabgeordneten und schließlich das Parlament der Heiligen.

Rund drei Jahrhunderte später entdeckte Lincoln Steffens in der Exodus-Geschichte eine vollständige Rechtfertigung der leninistischen Politik, das heißt der Diktatur und des Terrors. Er wiederholt die Unterscheidung des Augustinus zwischen dem Einsatz des Schwertes durch Moses und den Pharao in angemessen moderner Sprache: »Wann immer eine Nation ein neues System von Gesetzen und Bräuchen errichtet, hat sie einen roten Terror; wann immer sie ein altes System verteidigt, hat sie einen weißen Terror.«[47] Wahrhaftig, der Leninismus ist anscheinend eine alte Geschichte:

das sklavische Volk, unfähig, sich selbst zu befreien, unfähig, sich selbst vorzustellen, wie die Befreiung aussehen könnte; der revolutionäre Führer, der von außen kommt, dessen Lebenserfahrung ganz anders ist als jene der unterdrückten Männer und Frauen, die er führt; die Gruppe von Kämpfern, aus dem Volk rekrutiert, doch auch von ihm getrennt, um einen organisierten und disziplinierten Kader zu bilden; und schließlich die ständigen »Säuberungen« des Volkes durch die Kämpfer. Diese Elemente im Exodus auszumachen bedeutet nicht, den Text falsch zu interpretieren, ihm Lenins Theorie aufzupfropfen. Ich würde eher sagen, daß Lenins Revolutionstheorie (ich lasse seine Praxis beiseite) durch ihre »Übereinstimmung« mit dem Exodus-Text sehr gestärkt wird.

Auch stehen rabbinische Auslegungen nicht völlig im Gegensatz zur leninistischen Auslegung. Martin Buber bleibt dreitausend Jahren jüdischer Textauslegung treu, wenn er in seinem *Moses* schreibt, daß der Exodus »die Art von Befreiung (ist), die keiner ausführt, der als Sklave aufwuchs ...«[48] Moses ist von seinem Volk getrennt, während er aufwächst, und später trennt er sich selbst wiederum von ihm. Sofort nach dem Vorfall mit dem Goldenen Kalb »nahm (Mose) die Hütte und schlug sie auf draußen, ferne vor dem Lager« (*Exod.* 33,7). Die herkömmliche rabbinische Erklärung – im Text selbst wird kein Grund angegeben – lautet, Moses habe die Hütte wegen »der Sünde des Volkes mit dem Kalb« entfernt.[49] Weder GOTT noch Sein Stellvertreter habe weiterhin in der Mitte des Volkes wohnen können. Man könnte jedoch auch, was betrüblicher ist, sagen, daß weder GOTT noch Moses unter einem Volk wohnen konnten, dessen Brüder, Freunde und Nächste sie (jedenfalls einer von ihnen) hatten ermorden lassen. Damit wirft das Götzenbild sogar nach seiner Zerstörung noch einen Schatten über das Lager, und das Volk wird nicht, wie man bei einem Volk, das den Bund geschlossen hat, erwarten könnte, aus seiner Mitte und von einem seiner eigenen Angehörigen, sondern von außen, von einem Außenseiter geführt.

V

Aber die Geschichte kann auch anders erzählt werden. Wenn es eine leninistische Auslegung gibt, dann existiert auch, wie ich bereits angedeutet habe, eine sozialdemokratische Auslegung. Die letztere betont die Ziellosigkeit des Marsches und Mosis Rolle als Pädagoge des Volkes und als sein Verteidiger vor GOTT (und sie mildert die Geschichte vom Goldenen Kalb ab). Moses ist zu Zornesausbrüchen fähig, doch er ist auch die Verkörperung der Güte: ein »Mann des Blutes«, doch auch ein »sanfter Moses«: »Aber Moses war ein sehr geplagter Mensch über alle Menschen auf Erden« (*Num.* 12,3). Bei einer der Rebellionen gegen seine Autorität wird Moses von den Stammesführern Dathan und Abiram der Vorwurf gemacht: »Du willst auch noch über uns herrschen?« (*Num.* 16,13) Aber Moses herrscht in Wirklichkeit nicht; er wird immer wieder als ein Mann dargestellt, der mit dem Volk debattiert, wie er auch mit GOTT debattiert. In beiden Fällen kann er sich nicht ständig durchsetzen. Er hat mehr Erfolg bei GOTT als beim Volk, und es ist der Hervorhebung wert, daß die vierzig Jahre in der Wüste Mosis Verdienst sind. Als die Israeliten die Wüste Negev, südlich von Kanaan, erreichen, schicken sie Spione ins Gelobte Land, und diese machen eine erschreckende Meldung: Die Bewohner seien so groß und mächtig wie Riesen, »und wir waren vor unsern Augen wie Heuschrecken, und also waren wir auch vor ihren Augen« (*Num.* 13,33). Und dann murrt das Volk von neuem gegen Moses und schlägt vor: »Laßt uns einen Hauptmann ausrufen und wieder nach Ägypten ziehen!« (*Num.* 14,4) Die Menschen fürchteten sich in der Wüste so sehr wie auf dem Meer; sie empfanden sich immer noch als ägyptische Sklaven, obwohl sie viele Meilen zwischen sich und ihre früheren Herren gelegt hatten. GOTT ist zornig, wie stets, und wieder einmal bereit, das Volk zu vernichten, doch Moses schaltet sich ein, und ER gibt sich mit vierzig Jahren in der Wüste zufrieden. Diese Frist wird aus einem bestimmten Grund gewählt: damit all jene Israeliten, die zur Zeit des

»Auszugs« aus Ägypten zwanzig Jahre alt oder älter waren, in der Wüste eines natürlichen Todes sterben (nicht siebzig, sondern sechzig Jahre werden hier als übliche Lebenserwartung vorausgesetzt, wiewohl Moses selbst eine doppelte Spanne gewährt wird). Lincoln Steffens sieht dies als die wichtigste politische Lektion des Exodus an: »Die Erwachsenen müssen sterben.« Deshalb besage der Text, daß »GOTT der HERR die ganze ägyptische Generation der Juden tötete«.[50] Aber in *Numeri* 14, wie auch in anderen Darstellungen des israelitischen Murrens, werden nur einige aus dem Volk getötet. Die Mehrzahl der Sklaven lebt bis an ihr natürliches Ende und zieht eine neue Generation in der Freiheit geborener Kinder auf.

Moses lehrt diese neue Generation die Gesetze und Rituale der neuen Religion Israels. Er akzeptiert Jethros Rat, überläßt anderen die tägliche Regierungsarbeit und übernimmt selbst folgende Aufgabe: »Und stelle ihnen Rechte und Gesetze, daß du sie lehrest den Weg, darin sie wandeln, und die Werke, die sie tun sollen« (*Exod.* 18,20). So erscheint Moses in der jüdischen interpretativen Tradition – nicht als ein Fürst oder Richter oder gar ein »Gründer« (allerdings beschreibt Philo von Alexandria ihn im ersten Jahrhundert als »den besten aller Gesetzgeber in allen Ländern, besser noch als jeder, der entweder unter den Griechen oder den Barbaren hervorgetreten ist«; Machiavelli und Rousseau kommen zu einer im großen und ganzen ähnlichen Einschätzung).[51] Für die Juden im allgemeinen ist er ein Prophet und Lehrer, *Mosche rabenu*, Moses unser Rabbi.[52] Er ist ein erfolgreicher Lehrer, was bedeuten muß, daß er fähige Schüler findet; und er macht seine Schüler ihrerseits zu Lehrern: »Und diese Worte, die ich dir heute gebiete, sollst du zu Herzen nehmen und sollst sie deinen Kindern einschärfen ...« (*Deut.* 6,6-7) Die Folge ist, daß sich die Israeliten am Jordan von denen am Roten Meer sehr stark unterscheiden: Sie sind endlich bereit, ihre eigenen Schlachten zu schlagen. In einer seiner letzten Reden kann Moses sagen:

> Wenn du in einen Krieg ziehst wider deine Feinde und siehst Rosse und Wagen eines Volkes, das größer ist als du (mit diesen Worten erinnert er an das Heer des Pharaos am Roten Meer),

> so fürchte dich nicht vor ihnen; denn der HERR, dein GOTT, der dich aus Ägyptenland geführt hat, ist mit dir. (*Deut.* 20,1)

Und er darf sich recht sicher sein, daß das Volk wirklich keine Furcht verspüren wird. Die Hebräer sind nicht mehr »wie Heuschrecken« in ihren eigenen Augen, sondern sie bilden eine »politische Gesellschaft«, in der einer sich für den anderen sowie für den Bund einsetzt, der sie zusammenhält. Dies ist das Ergebnis von vier Jahrzehnten in der Wüste.

Was spielte die entscheidende Rolle, die Säuberung oder die Unterweisung? Der Text läßt sich so oder so auslegen; deshalb hat man ihn so lange und so häufig interpretiert. Im Laufe der Jahre ist er öfter von jenen herangezogen worden, die den Leviten am Berg Sinai nacheifern und ihre Feinde im revolutionären Lager niederzwingen und töten wollen. Solche Menschen haben einen stärkeren Bedarf an religiöser oder historischer Rechtfertigung. Und vermutlich muß die Konterrevolution zu irgendeinem Zeitpunkt niedergeschlagen werden, wenn man die ägyptische Knechtschaft je hinter sich lassen will. Es ist jedoch wichtig hervorzuheben, daß die Konterrevolution tief verwurzelt ist (woran der Text keinen Zweifel läßt); sie ist nicht durch Gewalt allein zu besiegen. GOTT und die Leviten könnten zwar mühelos alle Menschen töten, die sich nach den Fleischtöpfen (oder den Götzen) Ägyptens sehnen. Aber dann würden die Leviten praktisch allein im Gelobten Land eintreffen, und damit wäre die Verheißung nicht erfüllt. Die Verheißung gilt dem Volk, und das Volk kann nur allmählich von der Knechtschaft zur Freiheit voranschreiten.

In dem Text, wie er uns vorliegt, wird das Portrait des Volkes durchgehend mit aller Strenge gezeichnet. Aber es wird nicht durchgehend als sklavisch und untertänig beschrieben, sondern auch als »halsstarrig« (von GOTT Selbst zur Zeit der Anbetung des Goldenen Kalbs) und hartnäckig. Es ist also nicht völlig entmutigt. Und Hartnäckigkeit, selbst im Angesicht GOTTES, ist nicht ohne Reiz. Manchmal scheint das Volk weniger einem sklavischen Pöbel zu gleichen als gewöhnlichen Männern und Frauen, die sich gegen

GOTTES Forderung sträuben, mehr als gewöhnliche Menschen zu sein. Denn es ist nicht GOTTES Zweck, sie bloß ins Gelobte Land zu bringen. Die Verheißung selbst ist komplizierter als die Erwartung von Milch und Honig – wie ich versuchen werde, im 4. Kapitel zu zeigen –, und der Widerstand des Volkes hat eine gewisse befreiende Qualität, die am besten durch eine Midrasch-Geschichte illustriert wird. Als die Israeliten endlich den heiligen Berg verlassen durften, standen sie, wie es in einem Midrasch heißt, in aller Frühe auf, legten ihre Zelte zusammen, packten ihre Habseligkeiten und marschierten, so schnell sie konnten – nicht einen Tag lang, wie ihnen befohlen worden war, sondern drei Tage lang. Sie wollten keine weiteren Gesetze mehr.[53] Es ist eine hübsche Geschichte; wir können uns in ihr erkennen, obwohl wir nie in Ägypten gelebt haben (oder glauben, nie dort gelebt zu haben). Ich möchte nur eines hinzusetzen: Als sie sich von dem Berg entfernten, marschierten sie dem Gelobten Land entgegen, nicht »zurück nach Ägypten«. Sie hatten ihre eigene Vision von einem besseren Leben, und manchmal hatten sie den Mut, ihrer Vision zu folgen. Aus diesem Grunde waren sie am Anfang überhaupt fähig, wie Rabbi Eliezer sagte, in die Wüste hinauszuziehen, und aus diesem Grunde waren sie fähig, sich dem Bund am Berg Sinai zu verpflichten. Die hegelianische und die leninistische Betrachtung des Exodus hat keinen Platz für den Bund, aber er steht im Mittelpunkt der jüdischen Tradition und eines großen Teils des späteren revolutionären Gedankenguts. Und wenn die Israeliten zu halsstarrig waren, all seinen Forderungen gerecht zu werden, so waren sie auch zu halsstarrig, ihn je ganz zu vergessen.

Kapitel III

DER BUND:
EIN FREIES VOLK

I

Das große Paradoxon des Exodus und aller späteren Befreiungskämpfe ist die gleichzeitige Bereitschaft und Unwilligkeit der Menschen, Ägypten hinter sich zu lassen. Sie sehnen sich danach, frei zu sein, und sie sehnen sich danach, ihrer neuen Freiheit zu entkommen. Sie wollen Gesetze, aber nicht zu viele; sie nehmen die Disziplin des Marsches hin und leisten ihr zugleich Widerstand. Die biblische Erzählung verdeutlicht diese paradoxe Geschichte mit einer Offenheit, die sich in der Befreiungsliteratur nur selten wiederholt. Bis jetzt habe ich nur eine Seite des Paradoxons betont: den Widerstand, das Murren gegen Gott und Moses, das in Ägypten selbst begann und sich die Wüstenjahre hindurch fortsetzt (oder zumindest immer wiederkehrt). Der Widerstand des Volkes hat seine Ursache, wie wir hören, in der sklavischen Gesinnung der Israeliten, und er hat eine weitere Ursache in ihrer halsstarrigen Energie. Der Exodus sähe schließlich ganz anders aus, wenn das Volk seinen sklavischen Gehorsam einfach nur vom Pharao auf GOTT übertragen hätte. Aber der Dienst GOTTES unterscheidet sich radikal von der pharaonischen Sklaverei (obgleich beide durch dasselbe hebräische Wort gekennzeichnet werden). Der Unterschied ist folgender: Sklaverei wird durch Zwang begonnen und aufrechterhalten, während der Dienst durch den Bund begonnen und aufrechterhalten wird.

Der Bund ist die politische Erfindung des Buches *Exodus*. Moderne Wissenschaftler haben die strukturellen und verbalen Ähnlichkeiten zwischen dem Sinai-Bund und dem alten »Lehnsvertrag« gründlich erforscht, in dem ein Vasallenherrscher die Oberhoheit eines Königs anerkennt.[1] Diese Forschungen sind sowohl aufregend wie erhellend, denn sie stellen den Exodus in den ihm gebührenden zeitlichen Zusammenhang. Aber sie erstrecken sich nur auf Struktur und Vokabular und verraten uns wenig über die Akteure des Bundes oder über sein Thema. Es gibt keinen Präzedenzfall für einen Vertrag zwischen GOTT und einem ganzen

Volk oder für einen Vertrag, dessen Bedingungen buchstäblich die Moralgesetze sind. Mit Hilfe des Bundes werde ich erklären können, weshalb Widerspenstigkeit des Volkes und Entschlußkraft der Avantgarde, Murren und Säuberung nur einen Teil der Exodus-Geschichte ausmachen. Für die Erzählstrategie des Autors (oder des letzten Redakteurs) der Geschichte spielt es sogar eine zentrale Rolle, daß die Säuberungen dem Bund folgen, obwohl das Murren vorher beginnt. Die letztliche Rechtfertigung für die Säuberungen, wenn sie überhaupt gerechtfertigt werden, liegt nicht im göttlichen Willen, sondern in der Bereitschaft des Volkes.

Es gibt eine Tradition, angedeutet beim Propheten *Hesekiel* (20,8), die besagt, daß die Strafen GOTTES bereits in Ägypten mit dem ersten Murren begannen.[2] Aber diese Tradition hat in der biblischen Erzählung keinen Platz. Sie würde GOTT zu stark in die Nähe des Pharaos rücken. Zwar sucht Moses das Einverständnis der Israeliten zu ihrer eigenen Befreiung (*Exod.* 4,29-31), doch das Einverständnis von Sklaven ist moralisch nicht bindend, und als das Volk, verängstigt und entmutigt, sein Wort bricht, zieht GOTT es nicht zur Verantwortung. Es wird weder für seine Klagen in Ägypten noch für seinen Wunsch, am Meer umzukehren, und nicht einmal für seine ersten Rebellionen in der Wüste bestraft; denn es hat sich GOTT und Seinen Geboten noch nicht verpflichtet. Der Bund läßt auf sich warten, bis es seine Freiheit genossen hat – und bereits bis zum heiligen Berg gewandert ist. Dort steht es zwischen Ägypten und dem Gelobten Land und muß sich entscheiden. Spinoza meint, daß es zu diesem Zeitpunkt der Freiheit »in (den) Naturzustand versetzt« sei.[3] Natürliche Freiheit ist die unmittelbare Folge der Rettung – mutmaßlich nicht nur für die Israeliten allein, sondern für jedes gerade befreite Volk. Und da natürliche Freiheit in der Praxis unerträglich ist, folgt nun notwendigerweise der Bund – oder jedenfalls der eine oder andere Bund. Bedenkt man die Stammesorganisationen der Hebräer und die fortdauernde Autorität ihrer Ältesten, so ist dies zwar keine soziologisch plausible Darstellung, aber moralisch gesehen macht sie Sinn. Denn es sind nicht die Ältesten, sondern es ist das Volk selbst, das den Bund akzeptiert: »Und alles Volk antwortete zugleich und sprach: Alles, was der HERR geredet hat, wollen wir tun« (*Exod.* 19,8). Die alten Hierarchien sind aufgehoben; der Bund ist eine feierliche Verpflichtung, die von freien Männern eingegangen wird.

Und auch von Frauen: Laut Midrasch erinnert GOTT sich am Berg Sinai an den Fehler, den ER machte, als ER sein ursprüngliches Gebot über den Baum der Erkenntnis nur Adam, nicht auch Eva, mitteilte. »Wenn ICH nun die Frauen nicht *zuerst* anrufe, werden sie die Thora ungültig machen.«[4] Tatsächlich schließt der Sinai-Bund radikal alle Menschen ein. In *Exodus* 19 heißt es einfach: »Und alles Volk antwortete ...«, aber in *Deuteronomium* 29 wird ausgeführt:

> Ihr stehet heute alle vor dem HERRN, eurem GOTT, die Obersten eurer Stämme, eure Ältesten, eure Amtsleute, ein jeder Mann in Israel, eure Kinder, eure Weiber, dein Fremdling, der in deinem Lager ist (beide, dein Holzhauer und dein Wasserschöpfer), daß du tretest in den Bund des HERRN, deines GOTTES ... auf daß er dich heute ihm zum Volk aufrichte ... (*Deut.* 29,10-12)

Der Bund ist ein Gründungsakt, der neben der alten Stämmevereinigung eine neue Nation aus willigen Mitgliedern schafft. In Ägypten sind die Israeliten nur insofern ein »Volk«, als sie Stammeserinnerungen teilen – oder, was wichtiger ist, soweit sie die Erfahrung der Unterdrückung teilen. (Der Pharao selbst benutzt als erster das Wort »Volk«, um sie zu beschreiben.) Ihre Identität, wie die aller Männer und Frauen vor der Befreiung, ist etwas, was ihnen zufällig widerfahren ist. Erst durch den Bund machen sie sich zu einem Volk im starken Sinne des Wortes, zu einem Volk, das in der Lage ist, eine moralische und politische Geschichte aufrechtzuerhalten, das zu Gehorsam und auch zu halsstarrigem Widerstand, zum Marsch vorwärts und zum Rückfall fähig ist. Daher rührt die zentrale Rolle des Bundes, und deshalb ist es so wichtig, sich über seinen exakten Charakter klar zu werden.

In den traditionellen Erzählungen und folkloristischen Ausschmückungen, die sich um den Exodus ranken, wird der Bund häufig so beschrieben, als sei er eine Art Kaufvertrag und GOTT eine Art Handelsvertreter, der SEINE Gebote überall auf der Welt feilbietet und erst zu den Hebräern kommt, nachdem man IHN anderswo zurückgewiesen hat.[5] Während Israel die Gebote in einer Version der Geschichte rasch akzeptiert, muß das Volk in einer anderen Version überredet werden – und nicht nur durch Versprechungen. Warum, wird in einem frühen Midrasch gefragt, begann GOTT die Thora nicht damit, daß er SEIN Gesetz verkündete? Die Antwort wird in Form einer politischen Parabel gegeben. Die Situation lasse sich vergleichen mit der eines Königs,

> der in eine Provinz einzieht und das Volk fragt: Darf ich euer König sein? Aber das Volk antwortet ihm: Hast du irgend etwas Gutes für uns getan, damit du nun über uns herrschen solltest? Was tat er darauf? Er baute ihnen eine Stadtmauer, er versorgte sie mit Wasser und schlug ihre Schlachten. Als er nun wiederum fragte: Darf ich euer König sein?, antworteten sie: Ja, ja. Genauso verhielt sich GOTT. Er führte die Israeliten aus Ägypten hinaus, teilte das Meer für sie, schickte ihnen Manna hinab ... (und) schlug für sie die Schlacht gegen Amalek. Dann sagte ER zu ihnen: ICH soll euer König sein. Und sie antworteten IHM: Ja, ja.[6]

Der Autor kann sich nicht ganz überwinden, GOTT eine Frage in den Mund zu legen, wie er es mit dem König tat. Aber sein Bericht gibt die Form der klassischen Verträge wieder, die stets mit einer Liste gewährter Wohltaten beginnt, und er erfaßt den Geist der Präambel zu den zehn Geboten: »ICH bin der HERR, dein GOTT, der ICH dich aus Ägyptenland, aus dem Diensthause, geführt habe« (*Exod.* 20,2). Der gleiche Nachdruck auf den Wohltaten, die GOTT vorzuweisen hat, läßt sich in einer Predigt entdecken, die 1642 vor dem Unterhaus gehalten wurde und in welcher der Redner dringend zu einem neuen Bund riet:

> Die Erfahrung Israels ist zu unserer Ermutigung in der Heiligen Schrift verzeichnet. Wir können die Gaben GOTTES in diesem Königreich hinzufügen. Wer versenkte und zerstreute im Jahre achtundachtzig die spanische Flotte, die als unbesiegbar galt?

> Wer brach der papistischen Pulververschwörung das Genick? ... Und wer schlichtete jüngst die gefährlichen Meinungsverschiedenheiten zwischen England und Schottland?[7]

Diese Darstellungen gehen jedoch an der wahren Bedingtheit des Bundes vorbei, die weniger mit den früheren Taten GOTTES als mit den künftigen Taten des Volkes zu tun hat.

Es ist nützlich, den Sinai-Bund und seine späteren Wiederholungen von dem Bund mit Noah und Abraham (und danach von dem Bund mit David, der den beiden letzteren nachempfunden war) zu trennen.[8] Die früheren Bünde haben die Gestalt absoluter und bedingungsloser Versprechungen, die von GOTT gegeben werden, zum Beispiel Abraham gegenüber: »... und will dich da sehr fruchtbar machen ... und will dir und deinem Samen nach dir geben das Land, darin du ein Fremdling bist, das ganze Land Kanaan ...« (*Gen.* 17,6,8) Auf dem Berg Sinai sind GOTTES Versprechen dagegen von radikalen Bedingungen abhängig: »Werdet ihr nun meiner Stimme gehorchen und meinen Bund halten, so sollt ihr mein Eigentum sein vor allen Völkern ...« (*Exod.* 19,5) Die absoluten Versprechungen spielen sowohl in royalistische als auch in messianische Gedanken hinein. Sie sind tröstlich, doch sie setzen keine Energie frei; sie verlangen politische Aktion nur von den Stellvertretern GOTTES – und genau dafür halten sich Könige und selbsternannte Messiasgestalten. Auch die Rolle Mosis als eines göttlichen Boten ist im Bund mit Abraham verwurzelt; bevor GOTT Moses am brennenden Busch beruft, »gedachte [ER] an seinen Bund mit Abraham, Isaak und Jakob« (*Exod.* 2,24). Die Rettung aus Ägypten ist an keine Bedingungen geknüpft, sie hängt nicht vom moralischen Verhalten der Sklaven ab. Aber entscheidend für die Exodus-Geschichte ist, daß diese Rettung Israel nur in die Wüste, nur bis zum Berg Sinai gelangen läßt, wo die Bedingungen für ein weiteres Vorrücken enthüllt werden. Saadja Gaon schreibt: »Außerdem meinte unser Lehrer Moses, es genüge nicht, den positiven Fall durch die Worte ›Wenn ihr haltet‹ oder ›Wenn ihr höret‹ darzulegen und es dann dem Volk zu überlassen, sich das Gegenteil deutlich zu machen, sondern er erklärte ihnen, daß

GOTT (die) Versprechen nicht erfüllen werde, wenn sie selbst die Bedingungen nicht erfüllten. Dadurch, daß er die Begriffe umkehrte, ließ er sie wissen: ›Wirst du aber des HERRN, deines GOTTES, vergessen ... eben wie die Heiden, die der HERR umbringt vor eurem Angesicht, so werdet ihr auch umkommen‹ ... (*Deut.* 18,19-20)«. Im Gegensatz dazu, fährt Saadja fort, »hat GOTT keine Bedingungen an (die messianischen Versprechen) geknüpft, gar nicht davon zu reden, daß ER die Begriffe umkehrte.«[9] Die messianische Rettung wird also sowohl den Weg durch die Wüste als auch den Bund am Berge umgehen.

Diese Unterscheidung spielt in der späteren Revolutionsgeschichte eine Rolle. Zum Beispiel ist es möglich, bei den englischen Puritanern zwei Gruppen von Geistlichen auseinanderzuhalten: Die eine setzt sich für das ein, was ich Exodus-Politik nennen möchte, und stützt sich auf den Sinai-Bund, die andere setzt sich für apokalyptische und chiliastische Politik ein (oder experimentiert zumindest mit ihr) und stützt sich auf den Bund mit Abraham. In einer Untersuchung politischer Predigten während der Jahre nach 1640 schreibt John Wilson: »In dem einen war menschliches Tun gefordert, das auf die göttliche Zielsetzung reagieren sollte; in dem anderen wurde die Unabhängigkeit der göttlichen Initiative von menschlichem Tun gefeiert.«[10] Der politische Charakter der Befreiungstheologie im heutigen Lateinamerika wird von einem ähnlichen Kontrast bestimmt. Hier liegt der Nachdruck auf der praktischen Aufforderung der Exodus-Politik, während man die chiliastische Rhetorik trotz der christlichen Überzeugung der Befreiungstheologen mehr oder weniger vernachlässigt. Ich werde im nächsten Kapitel und am Schluß ausführlicher auf diese Alternative eingehen. An dieser Stelle möchte ich mich jedoch dem Charakter des menschlichen Tuns widmen, von dem die Reaktion auf die göttliche Zielsetzung abhängt.

Wessen Bund ist es? Wenn die Leviten sich am Fuße des Berges um Moses versammeln, beanspruchen sie im Grunde, daß der Bund ihnen gehört. Tatsächlich ist der Ruf nach Freiwilligen – »Her zu mir, wer dem HERRN angehört!« – ein gemeinsames

Kennzeichen jeder an einem Bund ausgerichteten Politik. *Exodus* 32 wird von dem Priester Mattathias zu Beginn des Makkabäeraufstandes bewußt aufgenommen: »Alle, die für die ... Thora eifern, die den Bund hochhalten, marschieren mir nach!« (1. *Makk.* 2,27) Aber die Leviten sind nur die Vollstrecker des Bundes und die Makkabäer nur seine Verteidiger. Der Bund selbst ruht auf einer breiteren Grundlage, denn sonst könnte er niemals legitim vollstreckt oder verteidigt werden. Am Berg Sinai nahm das gesamte Volk die Verpflichtung auf sich, nicht durch Vertreter oder Bevollmächtigte, sondern mit der Stimme jedes einzelnen. Als der Bund bei Sichem bekräftigt wird, geht aus dem Text hervor, daß es nicht Individuen, sondern Familienoberhäupter sind, die sich zusammenschließen. Josua erklärt dem Volk: »Gefällt es euch aber nicht, daß ihr dem Herrn dienet, so erwählet euch heute, wem ihr dienen wollt ... Ich aber und mein Haus wollen dem Herrn dienen« (*Jos.* 24,15). In den Kommentaren zu *Exodus* 19 und 24 beharren die Rabbis allerdings überraschenderweise darauf, daß der Charakter des Bundes individualistisch und die Zustimmung des Volkes explizit seien. Der Bund spiegelte das wider, was wir zweckmäßigerweise den allgemeinen Willen der Israeliten nennen können, aber dies war ein allgemeiner Wille, der sich – nach guter Rousseauscher Art – aus dem Willen unabhängiger, nicht miteinander in Verbindung stehender Individuen zusammensetzte.

> *Und alles Volk antwortete zugleich* (*Exod.* 19,8). Sie gaben diese Antwort nicht scheinheilig und übernahmen sie nicht einer vom anderen, sondern alle entschieden sich gleichermaßen und sagten: »Alles, was der HERR geredet hat, wollen wir tun.«[11]

Auch unterliegt keinem Zweifel, daß das Volk die Erfordernisse des Bundes begriff, denn seine Zustimmung war nicht pauschal: »Alles, was der HERR *geredet hat* ...« Dieser Punkt wird wiederum von den Rabbis unterstrichen. Einer von ihnen schreibt, daß Moses, bevor der Bund geschlossen wurde, »dem Volk die ganze Thora (nicht nur die Zehn Gebote, sondern alle fünf Bücher) laut vorlas, auf daß es genau wisse, was es auf sich nahm«.[12]

Das Volk hätte sich anders entscheiden können, obwohl GOTT

in diesem Fall vermutlich erstaunt gewesen wäre. Der Bund führt in die Exodus-Geschichte einen radikalen Voluntarismus ein, der sich nur schwer mit dem Bericht von der ursprünglichen Rettung in Einklang bringen läßt, denn zunächst traf GOTT, absolut und allmächtig, alle Entscheidungen, und das Volk tat, wie Hegel schrieb, nichts aus eigenem Antrieb. Hegel erwähnt jedoch nicht die Ereignisse am Berg Sinai, wo das Volk selbst die Entscheidung trifft. Aber diese Verbindung von göttlichem Vorsatz und freier Wahl des Volkes, von Vorsehung und Bund, von Determinismus und Freiheit ist charakteristisch für die Exodus-Politik sowie für alle späteren Versionen radikaler und revolutionärer Politik. Dies erkennen wir am deutlichsten bei den Puritanern, deren Bundestheologie, am Vorbild des Exodus ausgerichtet, sich schwerlich mit der Prädestinationstheologie zusammenfügt. Und doch existierten beide über einen langen Zeitraum hinweg nebeneinander.[13] Die Idee der göttlichen Erwählung (oder der historischen Unvermeidlichkeit) liefert vielleicht einen notwendigen Hintergrund für radikale Politik. Wer würde die erforderlichen Risiken eingehen, wer würde in die Wüste ziehen oder die »Riesen« von Kanaan herausfordern, ohne irgendeine Ahnung von einer gesicherten Zukunft zu haben? Gleichzeitig bringt aber die Erfahrung der freien Wahl und des Eingehens von Risiken die ganz neuen Vorstellungen von Engagement und Zustimmung hervor. Am Berg Sinai entscheidet jedenfalls das Volk, und dies impliziert, daß es nun besitzt, was ihm in Ägypten zu fehlen schien: die Fähigkeit, Entscheidungen zu treffen. Es verfügt nicht nur über natürliche Freiheit, sondern auch über freien Willen.

Laut einer häufig wiederholten talmudischen Maxime »liegt alles in den Händen GOTTES, außer der Furcht GOTTES«.[14] Das moralische Leben der Menschheit – und deshalb auch ihr politisches Leben – liegt völlig in menschlicher Hand. Und in dem Moment, da das Volk sein Leben in die eigenen Hände nimmt, ist es nicht feige und niedergeschlagen, sondern mutig. Am Berge Sinai stehend, verkörpert es die Vortrefflichkeit des Menschen. Also schreibt Saadja über die Darstellung des Bundes im *Deuterono-*

mium: »GOTT ... gab dem Menschen die Fähigkeit, IHM zu gehorchen, legte sie ihm sozusagen in die Hände, verlieh ihm Macht und freien Willen und befahl ihm, das zu wählen, was gut ist ...«[15] Macht und freier Wille sind Gaben GOTTES, die sich von der spezielleren Gabe der Befreiung unterscheiden und den Menschen ermöglichen, wenn auch nicht zur Befreiung selbst, so doch zu der langfristigen Arbeit beizutragen, die nötig ist, um die Befreiung permanent zu machen. Saadja hätte natürlich gesagt, daß der Mensch nur dann frei sei, wenn er zu einer solchen Arbeit beiträgt, denn nach Ägypten zurückzukehren hieße, sich selbst zu versklaven. Hier taucht wiederum die Doktrin der positiven Freiheit auf, die keineswegs eine Erfindung von Rousseaus *Gesellschaftsvertrag*, sondern ein fortdauerndes Merkmal der Bundestheologie ist. Der Übergang von ihrer theologischen zu ihrer politischen Fassung wird trefflich von einer Rede illustriert, die John Winthrope (laut Cotton Mather der amerikanische Moses) im Jahre 1645 hielt. Winthrope attackiert seine Gegner, die ihm als die Murrenden der Neuen Welt erscheinen müssen, und verkündet eine Theorie der Freiheit und Verpflichtung:

> Die andere Art von Freiheit nenne ich zivile oder föderale Freiheit; man könnte sie auch als moralische Freiheit bezeichnen: mit Bezug auf den Bund zwischen GOTT und den Menschen, der in den Moralgesetzen gründet, und mit Bezug auf die politischen Bünde und Verfassungen zwischen den Menschen selbst. Diese Freiheit ist der eigentliche Zweck und Gegenstand von Autorität und kann ohne sie nicht bestehen; und es ist eine Freiheit nur für das, was gut, gerecht und ehrenhaft ist.[16]

Wir mögen uns über den letzten Satz wundern. Aber vielleicht bedeutet er nur, daß jene Männer und Frauen, die sich, vor die Wahl des *Deuteronomiums* gestellt – »Ich habe euch Leben und Tod vorgelebt ...« (*Deut.* 30,19) –, für den Tod entscheiden, der Vergeltung (also dem, was sie gewählt haben) nicht entgehen werden. Die Vergeltung ist einleuchtend, weil sie frei gewählt haben, und mithin gibt es eine Freiheit, sich für das Böse zu entscheiden, allerdings keine fortwährende Freiheit, denn man kommt nicht ungeschoren davon. Aber das Wesentliche hier, in der Exodus-Geschichte, in Saadjas philosophischem Kommentar und in Winthropes politischem Erlaß ist die Überzeugung, daß die Menschen allein fähig seien, sich für das Leben zu entscheiden und dann dem moralischen Gesetz gerecht zu werden. Sie sind in der Lage, Versprechen abzugeben und sie einzuhalten. In Wirklichkeit halten die Israeliten (oder viele von ihnen) ihre Versprechen natürlich nicht; die spätere Geschichte Israels ist eine Folge von »bösen Taten« und göttlicher Bestrafung. Doch was die Bestrafung legitimiert und verständlich macht, ist die gemeinsame Annahme, daß die Menschen fähig seien, Gutes zu tun. Die Menschen, die den Bund schließen, sind – um einen Begriff der heutigen philosophischen Sprache zu verwenden – *moral agents*: zu moralischem Handeln fähige, verantwortliche Akteure.

II

Der Bund selbst wird im Buch *Exodus* nur kurz geschildert, so daß für die theologische – und dann die politische – Vorstellungskraft viel Raum bleibt. Aber der Text schafft auch gewisse Probleme. Deshalb ist es kein Zufall, daß der rabbinische Kommentar, in seiner eigenen Sprache, die Hauptfragen der frühneuzeitlichen Vertragstheorie vorwegnimmt. Denn die Gesellschafts- und Regierungsverträge des 16. und 17. Jahrhunderts haben ihren Ursprung in der Exodus-Literatur, wo zum erstenmal die Idee vorgebracht wird, daß Untertanenpflicht und -treue in der Zustimmung individueller Männer und Frauen verwurzelt seien (und rechtmäßig nur dort verwurzelt sein könnten). Man mag auch den Einfluß des Feudal-Eides und des komplexen Lehnspflichtsystems auf die spätere Vertragstheorie betonen, und viele Historiker tun es.[17] Aber die stärkere Verbindung, die am häufigsten in den Traktaten und Broschüren radikaler Publizisten hergestellt wird, führt vom Bund zum Vertrag. Dies heißt nicht, daß Revolutionäre des

17. Jahrhunderts die rabbinischen Interpretationen kannten – was wahrscheinlich für einige galt –, sondern nur, daß dieselben biblischen Texte ähnliche religiöse und politische Ideen hervorbrachten. Man nehme zum Beispiel die Debatte unter den Rabbis über die Zahl der Bünde, die am Berg Sinai geschlossen wurden. Ein Rabbi sprach von 603 550 Bünden, da jeder erwachsene Mann (die Frauen werden hier ausgelassen) sich Gott verpflichtet habe. Aber ein anderer behauptete, jeder einzelne dieser 603 550 Bünde sei 603 550mal geschlossen worden, denn die Männer hätten sich nicht nur GOTT, sondern auch einander verpflichtet. »Was ist die Rechtsfrage zwischen ihnen? Rabbi Mescharscheja sagte: Die Rechtsfrage zwischen ihnen ist jene von persönlicher Verantwortung und Verantwortung für andere.«[18] Ist der einzelne verpflichtet, nur selbst die Gesetze zu befolgen, oder ist er verpflichtet, dafür zu sorgen, daß sie kollektiv befolgt werden? Ist er verpflichtet, direkt zu handeln, oder dafür einzutreten, daß sich Gerechtigkeit vollzieht? Die zweite Ansicht hat radikalere Konsequenzen, und sie setzt sich in der weltlichen politischen Philosophie durch. Die siegreiche Formulierung verbindet die beiden rabbinischen Aussagen miteinander und ersetzt GOTT durch das Volk als Ganzes. So heißt es in der Präambel zur Massachusetts-Verfassung von 1780: Das politische Gemeinwesen (*body politic*) setzt sich aus einer freiwilligen Vereinigung von Individuen zusammen; es ist ein Gesellschaftsvertrag, durch den das ganze Volk mit jedem Bürger einen Bund schließt und jeder Bürger mit dem ganzen Volk ...«[19] Jeder Bürger hat also ein Recht und vielleicht eine Pflicht, sich für das zu interessieren, was »das ganze Volk« tut.

Aus einem Bund dieser Art leitet sich ab, daß die Individuen, die sich ihm verpflichten, moralisch gleichberechtigt sind. Mit den Worten eines modernen Bibelwissenschaftlers: »Es gibt eine prinzipielle Gleichberechtigung aller im Verhältnis gegenüber JAHWE oder, um es zutreffend auszudrücken, eine Gleichheit der Verantwortung.«[20] Die gesellschaftlichen Konsequenzen der durch den Bund bewirkten Gleichheit werde ich im nächsten Kapitel behandeln, wenn ich die Bedeutung der Worte »ein priesterliches Königreich und ein heiliges Volk« (*Exod.* 19,6) untersuche. Hier möchte ich nur beschreiben, wie dem Bund verpflichtete Individuen – und nicht die Priesterkaste – Moses als Lehrer des Gesetzes ablösen, wie sie die Verantwortung für die Kontinuität des Bundes übernehmen. Kontinuität ist ein Zentralthema der Vertragstheorie, und sie ist auch ein Zentralthema der Exodus-Literatur, beginnend mit der Deuteronomium-Darstellung des Bundes, also dem ersten Kommentar. Mosis Erfolg ist darin begründet, daß er Nachfolger nicht unter den wenigen, sondern unter den vielen findet. Dieselbe Befähigung, die es Individuen überhaupt erst ermöglicht, sich dem Bund anzuschließen, ermöglicht es ihnen auch, ihre Kinder an den Bund heranzuführen. Dies gelingt ihnen, indem sie sich an die Exodus-Geschichte »erinnern«.

> Wenn dich nun dein Sohn heute oder morgen fragen wird und sagen: Was sind das für Zeugnisse (hebräisch *'edoth*, wörtlich »Pakte«, ein alternativer Begriff für den Bund), Gebote und Rechte, die euch der HERR, unser GOTT, geboten hat? so sollst du deinem Sohn sagen: Wir waren Knechte des Pharao in Ägypten, und der HERR führte uns aus Ägypten mit mächtiger Hand ...« (*Deut.* 6,20-21).

Hier gibt es eine philosophische Schwierigkeit, die von den Pronomen ausgedrückt wird. Der Sohn fragt nach den Gesetzen, die Gott »*euch* geboten hat«, womit er sich selbst von der Verpflichtung zum Gehorsam ausschließt. Der Vater erwidert: »*Wir* waren Knechte des Pharao ...«, womit er seinen Sohn in die Bundesgeschichte einbezieht. Doch wie geht die Zustimmung vom Vater auf den Sohn über? Wie wird der radikale Voluntarismus der revolutionären Phase aufrechterhalten? Nicht einfach dadurch, daß man seinen Kindern den Exodus erläutert, sondern dadurch, daß man sie ermutigt, den Augenblick der Befreiung in ihrer Phantasie nachzuvollziehen. Diese Ermutigung kommt in der *Haggada* deutlich zum Ausdruck: »In jeder Generation soll jeder Mann sich selbst so betrachten, als sei *er* aus Ägypten hervorgekommen.«[21] Mosis Argumentation im *Deuteronomium* ist direkter und vermeidet die »als sei«-Formulierung: »Der HERR, unser GOTT ... hat nicht mit unseren Vätern diesen Bund gemacht, sondern mit uns, die wir hier sind heutigentags und alle leben« (*Deut.* 5,2-3). Und wiederum, in einem Abschnitt, der häufig Gegenstand von Kommentaren war: »Denn ich mache diesen Bund und diesen Eid nicht mit euch allein, sondern sowohl mit euch, die ihr heute hier seid ... als auch mit denen, die heute nicht mit uns sind« (*Deut.* 29,13-14). Aber dies setzt voraus, daß die Nachvollziehung des Exodus in der Phantasie stets wirksam ist und in jeder aufeinanderfolgenden Generation eine neue Verpflichtung schafft. Was aber, wenn sie nicht wirksam ist? Moses geht dieser Schwierigkeit in seiner letzten Predigt im *Deuteronomium* nach. Was aber, wenn »vielleicht ein Mann oder ein Weib oder ein Geschlecht oder ein Stamm unter euch sei, des Herz heute sich von dem HERRN, unserm GOTT, gewandt habe?« Die Antwort ist deutlich genug: »Da wird der HERR dem nicht gnädig sein; sondern dann wird sein Zorn und Eifer rauchen über solchen Mann ...« (*Deut.* 29,17,19) In den Jahren vor der Vertreibung, als viele Juden sich von dem Bund »wandten«, wurden in Spanien diese Passagen aus dem *Deuteronomium* heftig debattiert, und man stellte die offensichtliche Frage: »Wer gab der Wüstengeneration, die am Fuße des Berges Sinai stand, die Macht, all jene, die ihnen nachfolgen würden, zu verpflichten? ... Dies kann doch keine legitime Verpflichtung sein.«[22]

Der spanisch-jüdische Philosoph Don Isaak Abravanel beantwortet die Frage mit einer Argumentation, welche der späteren Theorie stillschweigender Zustimmung sehr nahekommt. Der Dienst für GOTT sei eine immerwährende Verpflichtung, behauptet Abravanel, weil die Juden auf immer die Früchte jenes Dienstes genössen: Freiheit von ägyptischer Unterdrückung, das Sittengesetz und das Gelobte Land.[23] Dies ist ein seltsames Argument gegenüber einem Volk, das nicht in der Heimat, sondern im Exil lebt und brutal verfolgt wird. Abravanel glaubte vermutlich – und vielleicht hatte er recht –, daß das Familien- und Gemeinschaftsleben der Juden die drei göttlichen Gaben irgendwie bewahre – und daß die Erfahrung jenes Lebens die Bundesverpflichtung aufrechterhalte. »Unser Exil kann nicht mit der ägyptischen Knechtschaft verglichen werden«, schreibt ein Kommentator der *Haggada*. »Die Befreiung von der Sklaverei des Pharaos war endgültig, und wir erlangten ... eine dauerhafte Freiheit, die von der Gabe der Thora besiegelt wurde.«[24] Die Teilnahme an dem, was ein moderner Gelehrter die dezentralisierte religiöse Demokratie Israels nennt – jeder Erwachsene (oder zumindest jeder erwachsene Mann) interpretiert die Thora innerhalb seiner eigenen Familie –, stellt eine implizite Erneuerung des Bundes dar.[25] Aber es ist weiterhin unklar, weshalb GOTT einen moralischen Grund haben soll – da Eifersucht allein kein moralischer Grund ist –, zum Beispiel einen »bösen Sohn« zu bestrafen, der sich aus dem Leben der Familie zurückzieht. Stillschweigende Zustimmung kann nur bei Männern und Frauen unterstellt werden, die sich wirklich an den göttlichen Gaben erfreuen, die mit Sicherheit wissen, daß sie befreit worden sind.

Aber vielleicht sollten wir die Abschnitte im *Deuteronomium* als ein Argument für hypothetische, nicht für stillschweigende Zustimmung lesen. Der Vater fordert den Sohn auf, sich zu fragen, was er selbst getan hätte, wenn er am Fuße des Berges Sinai gestanden hätte, und dann im Lichte seiner Antwort zu leben. Er muß sich natürlich auch vorstellen, gerade von der ägyptischen Knechtschaft befreit, mit Manna gespeist worden zu sein und die Erscheinung GOTTES erlebt zu haben. Und wie kann er, der nicht nur frei, sondern rational und zu moralischem Handeln befähigt ist, dann behaupten, daß er nein gesagt hätte? Ich neige eher einer Beweisführung zu, die von der Lebendigkeit der Gegenwart, nicht der Vergangenheit abhängt, aber dies ist keine unglaubwürdige Version des *Deuteronomium*-Textes (oder der *Passah-Haggada*). Und im entscheidenden Punkt stimmt diese Version mit der früheren überein: Wie immer das Problem der Kontinuität der Zustimmung zum ursprünglichen Bund gelöst wird, es muß für freie und gleichberechtigte Individuen gelöst werden, die den Bund und die Texte des Bundes in der Hand halten. Als Moses die Tafeln (zum zweitenmal) vom Berg hinunterträgt, überreicht er sie dem Volk, nicht – was sich zu wiederholen lohnt – der Priesterschicht. Dies ist die

Bedeutung der Textstelle, die ich am Ende des letzten Kapitels zitierte:

> Und diese Worte, die ich dir heute gebiete, sollst du zu Herzen nehmen und sollst sie deinen Kindern einschärfen und davon reden, wenn du in deinem Hause sitzest oder auf dem Wege gehst, wenn du dich niederlegst oder aufstehst. (*Deut.* 6,6-7).

Vielleicht sollten wir einfach sagen, daß der Bund auf einer Flut von Worten vorangetragen wird: Argument und Analyse, folkloristische Ausmalung, Exegese und Neuinterpretation.

Aber der Bund wird auch periodisch und kollektiv erneuert. Der radikale Voluntarismus der biblischen Darstellung ist mit den Doktrinen stillschweigender und hypothetischer Zustimmung nicht zu erfassen. In Krisenmomenten muß das Volk seine Verpflichtung erfüllen und von neuem bestätigen. Diese nochmaligen Bestätigungen haben nicht nur rein rituellen Charakter –, so als bestehe ihr Zweck darin, die magische Wirksamkeit des ursprünglichen Bundesvertrags wiederzugewinnen. Es sind vielmehr moralische Akte; sie haben den Zweck, persönliche und kollektive Verpflichtung zu stärken (es gibt keine magische Wirkung). Ich habe bereits den Bund in Sichem erwähnt, der die endgültige Ankunft Israels im Gelobten Land markiert. Rund vierhundert Jahre später beginnt die religiöse Reformation des Königs Josia, deren programmatisches Manifest das *Deuteronomium* ist, mit einer anderen öffentlichen und ausdrücklichen Verpflichtung: »Alles Volk, klein und groß«, das in Jerusalem versammelt war, und der junge König hörten »vor ihren Ohren alle Worte aus dem Buch des Bundes ... Und alles Volk trat in den Bund« (2. *Könige* 23,2-3). Und wiederum, zur Zeit der Neugründung des jüdischen Gemeinwesens nach der Babylonischen Gefangenschaft: Esra der Schriftgelehrte las und erläuterte sieben Tage lang zusammen mit verschiedenen Priestern und Leviten das Gesetz »vor Mann und Weib und wer's vernehmen konnte. Und des ganzen Volks Ohren waren zu dem Gesetzbuch gekehrt«. Und am achten Tag fand eine »Versammlung« statt, »wie sich's gebührt«; dann wurde eine historische Predigt gehalten, die sich hauptsächlich auf den Exodus konzentrierte, und man schrieb und besiegelte einen »festen Bund« (*Neh.* 8,3,18; 9,38).

Diese Bünde stehen nicht für bloße Kontinuität, sondern für Unterbrechungen und Neuanfänge: nach dem Rückfall die Reform, nach dem Exil die Rückkehr. Hier werden die Ereignisse des Sinai nicht rein fiktiv, sondern tatsächlich neu inszeniert. Ähnliche Neuinszenierungen haben eine wichtige Rolle in der protestantischen und dann in der weltlichen Politik gespielt. Das erste protestantische Beispiel ist eine buchstäbliche Wiederholung des Sinai-Bundes. Der Triumph Calvins und seiner Anhänger wurde 1537 in Genf durch eine städtische Feier gekennzeichnet, bei der die Bürger gelobten, den Zehn Geboten sowie den Gesetzen der Stadt zu gehorchen. Calvin mag die Bedeutung der freiwilligen Zustimmung des Volkes allzu hoch eingeschätzt haben; die Vorgänge, wie sie von einem modernen Historiker beschrieben werden, wirken etwas freudlos: »Gruppen von Menschen, von der Polizei herbeigerufen, legten ihren Treueschwur ab.«[26] Immerhin, das Ziel gleicht jenem der biblischen Autoren. Calvin bemühte sich, die Stadt in eine dem Bund verpflichtete Gemeinde zu verwandeln, Sitten, Bräuche, jede Art von bequemer Duldung herkömmlicher Gewohnheiten durch explizite (wenn auch nicht unbedingt bereitwillige) Zustimmung zu ersetzen.

Dies ist genau das, was Reformer und Revolutionäre tun müssen, und der Genfer Bund wiederholt sich bald darauf – allerdings mit abnehmender biblischer Buchstabentreue – im Mayflower-Vertrag, im Schottischen Nationalen Bund, im Feierlichen Bund von 1643, im Volksvertrag der puritanischen Armee und in den amerikanischen Verfassungen der 1780er Jahre. Sie alle sind echte Bünde, deren Kraft von der Zustimmung eines freien (gerade erst freien!) Volkes abhängt, und sie alle wenden sich, aus größerer oder geringerer Ferne, jenem Moment am Berg Sinai zu, da die Israeliten ja, ja sagten. Ich teile nicht ganz die Ansicht eines der lateinamerikanischen Befreiungstheologen, der schreibt, daß der Exodus »für mich nur dann einen Sinn hat, wenn ich mich in einem *heutigen* Befreiungsprozeß befinde«.[27] Gewiß, die Geschichte gewinnt eine neue Bedeutung für Menschen in einer derartigen Situation (oder sie erhalten einen neuen Einblick in das, was die Geschichte ursprünglich bedeutet haben könnte). Aber der Sinai-Bund ist infolge der Tradition nachempfundener Erfahrung, die ich beschrieben habe, ein Modell für die Einbeziehung des Volkes. Das Studium der Bibel führt zu einer Sicht politischen Handelns als einer Art Gemeinschaftsleistung: Was in Ägypten und am Berg Sinai geschah, liefert einen Präzedenzfall für frühneuzeitliche (und *heutige*) Bemühungen, Männer und Frauen für eine Politik ohne Präzedenzfall in ihrer eigenen Erfahrung zu mobilisieren.

III

Der Bund schafft Verantwortung; deshalb ist er ein Motiv für politisches Handeln. In der jüdischen Gedankenwelt besteht die entscheidende Verantwortung, die Individuen auf sich nehmen, darin, im Einklang mit dem göttlichen Gesetz zu leben. Sie sind verpflichtet, Gott zu gehorchen – und auch, zumindest einer Interpretation des Bundes zufolge, dafür zu sorgen, daß Gott Gehorsam widerfährt. Die letztere Verantwortung trägt dazu bei, sowohl die Rolle der jüdischen Propheten als auch die Hinnahme jener Rolle durch das Volk (oft sogar, wenn auch zweifellos widerwilliger, durch die israelitischen und judäischen Könige) zu erklären. Nach dem Vorfall mit dem Goldenen Kalb wird das revolutionäre Engagement allmählich in der aaronitischen und levitischen Priesterschaft institutionalisiert. Die Priester vollführen nicht nur die erforderlichen religiösen Zeremonien, bieten die Opfer dar, rezitieren die Gebete und so weiter, sondern sie führen auch ein Leben von ritueller Reinheit, das heißt, sie erhalten einen Grad an Heiligkeit aufrecht, der einer »heiligen Nation« angemessen, aber von der Mehrheit der Israeliten nun nicht mehr zu erreichen ist. Auch die Propheten fungieren als Stellvertreter der Volksmehrheit – Moses hoffte, wie wir sehen werden, auf ein universelles Prophetentum –, aber sie tun es auf andere Weise. Während die Priester für das Volk handeln, fordern die Propheten das Volk auf zu handeln; und während die Priester die rituellen Erfordernisse des Bundes repräsentieren, stehen die Propheten, welche die zentrale Rolle des Rituals bestreiten, für die ethischen Erfordernisse. Die Priesterschaft ist die alt gewordene, eingewurzelte, privilegierte, konservative Avantgarde (was nicht heißt, daß einzelne nicht manchmal den ursprünglichen Radikalismus der Leviten wieder aufleben lassen könnten: Mattathias war ein Priester von Modin). Die Propheten setzen die pädagogische Rolle Mosis fort, wiewohl ihre Lehren häufig die Gestalt einer grimmigen Anklage annehmen. Sie stehen neben gewöhnlichen Männern und Frauen, die ihre Familien das Gesetz lehren, denn die Propheten lehren die Nation das Gesetz. Ihre Anklage reicht von Königen und Priestern bis hin zu Handwerkern und Bauern; sie verteidigen die Idee kollektiver Verantwortung.

Ein verantwortlicher Akteur (*moral agent*) zu sein heißt nicht, rechtschaffen zu handeln, sondern zu rechtschaffenem Handeln fähig zu sein. Die Israeliten sind dazu fähig, aber sie sind den Forderungen des Gesetzes häufig nicht gewachsen. Und dann treten die Propheten in den Vordergrund, um sie an ihre Verpflichtungen zu erinnern. Es ist ein Fehler, sich die Propheten in erster Linie als religiöse Erneuerer vorzustellen; auch ist es nicht sehr nützlich, sie als Schwärmer oder Visionäre zu beschreiben (obwohl sie manchmal Visionen hatten), welche die Gußform der israelitischen Religion zerschmettern. Sie sind religiöse Reformer, und sie bringen ihre Argumente in einem Stil vor, welcher der Linearität der Exodus-Politik gebührt: Sie blicken zurück zu der Befreiung und dem Bund und nach vorn zu den Verheißungen. Gustavo Gutiérrez fängt das Wesen ihrer religiösen (und politischen) Botschaft ein, wenn er schreibt: »In ihrem Protest gegen die Armut beziehen sich die Propheten als Erben der mosaischen Tradition auf den vergangenen Ursprung des Volkes. Hier suchen sie Anregung beim Bau einer gerechten Gesellschaft. Armut und Ungerechtigkeit anzunehmen, hieße in die frühere Sklaverei in Ägypten zurückzufallen und wäre nichts anderes als Rückschritt.«[28] Wir erkennen deutlich, worum es der Prophezeiung geht, wenn wir eines der typischen Genres der prophetischen Beweisführung, das göttliche Gerichtsverfahren, betrachten. Hier ist ein Beispiel aus *Micha* (6,2-8):

> Höret, ihr Berge, wie der HERR rechten will, und ihr starken Grundfesten der Erde; denn der HERR will mit seinem Volk rechten und für Israel strafen. Was habe ich dir getan, mein Volk, womit habe ich dich beleidigt? Das sage mir! Habe ich dich doch aus Ägyptenland geführt und aus dem Diensthause erlöst ... Wird wohl der HERR Gefallen haben an viel tausend Widdern, an unzähligen Strömen Öl? Oder soll ich meinen ersten Sohn für meine Übertretung geben, meines Leibes Frucht für die Sünde meiner Seele? Es ist dir gesagt, Mensch, was gut ist und was der HERR von dir fordert, nämlich GOTTES Wort halten und Liebe üben (das Hebräische ist *hesed*, besser übersetzt als »Treue und Freundlichkeit dem Bund gegenüber«) und demütig sein vor deinem GOTT.

Zwar wird der Bund hier nicht ausdrücklich erwähnt, doch GOTTES Streit mit Israel hängt von ihm ab, und die Geschichte und Metaphorik beschwören ihn herauf.[29] Das Gerichtsverfahren braucht das Gesetz und die Verpflichtung des Volkes, dem Gesetz zu gehorchen. Das Wesen des Gesetzes ist ethischer, nicht zeremonieller Art: »Denn ich habe Lust an der Liebe [wieder *hesed*), und nicht am Opfer, und an der Erkenntnis GOTTES und nicht am Brandopfer« (*Hos.* 6,6).

Das göttliche Verfahren gilt dem Volk als Ganzem. Obwohl einige Angehörige des Volkes Sünder sind und andere vermutlich nicht, obwohl einige Unterdrücker und andere Unterdrückte sind, versuchen die Propheten nicht, die Getreuen um sich zu sammeln oder eine Partei zu organisieren. Sie rufen nicht nach Freiwilligen, wie Moses am Berge, um den Bund zu vollstrecken. In ihrer Theologie ist GOTT der große Vollstrecker, und ER setzt äußere Vertreter – die Assyrer, die Babylonier – ein, um Sein Volk zu geißeln.

Aber der Ruf nach Freiwilligen ist Teil der Geschichte und spielt eine wichtige Rolle in der protestantischen Wiederbelebung der Exodus-Politik. Auch das göttliche Gerichtsverfahren kommt vor, wiewohl es manchmal auf den Kopf gestellt wird. Der Calvinist Samuel Rutherford schrieb in seinem Werk *Lex, Rex* (1644): »Der Bund verleiht dem Gläubigen eine Art gesetzliches Instrument ... vor GOTT hinsichtlich seiner Treue zu plädieren ...« Ich bin mir über den Bezug des letzten Pronomens nicht ganz im klaren, aber was Rutherford sagen will, liegt auf der Hand: Treue Anhänger des Bundes haben ein Recht auf die Gaben, die ein treuer GOTT versprochen hat. Allerdings geht es hier nur um »eine Art gesetzliches Instrument«, eine metaphorische Anwendung der Bundestheologie. Rutherford zielt darüber hinaus auf eine praktische Anwendung ab: »Und viel mehr noch gibt ein Bund einem Volk die Berechtigung zu einem Zivilprozeß und -anspruch ... gegen einen König ...«[30]

Die theologische Argumentation für den »Prozeß und Anspruch« wurde zuerst – rund siebzig Jahre vor Rutherfords Schrift, während der französischen Religionskriege – von dem Autor der *Vindiciae Contra Tyrannos* entwickelt. In den *Vindiciae* macht er einen systematischen Versuch, den Exodus-Bund mit den späteren königlichen Bünden, die im 2. Buch der *Könige* beschrieben werden, in Einklang zu bringen. GOTTES Bund mit David (2. *Sam.* 7,1-17) wird ignoriert; er hat die Gestalt eines einseitigen göttlichen Versprechens, dessen Vorbild das Versprechen Abraham gegenüber ist und das, wie ich angedeutet habe, eine wichtige Stütze der royalistischen Ideologie darstellt. Doch spätere Könige, besonders im nördlichen Reich, suchten (oder benötigten vielleicht) eine andere Art Bundeslegitimität: »Da machte Jojada (der Hohepriester) einen Bund zwischen dem HERRN und dem König und dem Volk, daß sie des HERRN Volk sein sollten; also auch zwischen dem König und dem Volk« (2. *Könige* 11,17). Dies scheint den König einfach nur in den Sinai-Bund einzubeziehen, und so wird es in den *Vindiciae* interpretiert. Was die Verpflichtungen des Volkes betrifft, ist der spätere Bund, der den König einbezieht, identisch mit dem früheren, in dem Könige unbekannt sind. »Es sind derselbe Bund, dieselben Bedingungen, dieselben Strafen.«[31] Aus diesen Ähnlichkeiten leitet der Autor – ganz so, wie jüdische Kommentatoren es getan hatten – die moralische Qualifikation des Volkes ab. Und dann bringt er ein neues politisches Argument vor (das sich jedoch völlig in die Bundestheologie einfügt):

> Es ist höchst gewiß, daß GOTT nicht unnütz (einen Bund geschlossen hat), und wenn das Volk keine Autorität hätte, Versprechen abzugeben und Versprechen einzuhalten, wäre es unnütz verlorene Zeit, mit ihm einen Vertrag oder einen Bund abzuschließen ... (Daher) geht das ganze Volk ... gemeinsam und freiwillig den Bund ein, gibt sein Versprechen und verpflichtet sich ... und wenn einer von beiden (König oder Volk) ihren Bund vernachlässigt, kann GOTT zu Recht und nach seinem Gutdünken das Ganze der beiden verlangen, und zwar wahrscheinlicher das Ganze des Volkes ... denn so viele können nicht so leicht entschlüpfen wie ein einziger.[32]

Die Verpflichtung, götzendienerischen oder bösen Königen Widerstand zu leisten, ergibt sich aus der Aussage, daß Männer und Frauen, die auf Widerstand verzichten, von GOTT Selbst zur Rechenschaft gezogen würden. Die Argumentation gleicht jener von Soldaten unserer eigenen Zeit, die sich weigern, militärischen Befehlen zu gehorchen, weil Gehorsam sie strafrechtlichen Anklagen nach internationalem Gesetz aussetzen würde. Also können Untertanen, die dem König gestatten, »es zu fremden Göttern zu ziehen«, von dem einen GOTT bestraft werden, dem sie sich verpflichtet haben. (Es ist die Verpflichtung, welche die anderen Götter »fremd« erscheinen läßt. Ohnehin handelt es sich um falsche Götter, aber es ist ein Irrtum und kein Verbrechen, falsche Götter anzubeten.) Der Bund zwischen König und Volk könnte, je nach seinen Klauseln, Widerstand rechtfertigen – genau wie der Charakter dieses oder jenes militärischen Befehls Ungehorsam rechtfertigen könnte. Aber es ist der Bund mit GOTT, der, zumindest für Gläubige, ein mächtiges und vorrangiges Motiv liefert.

Nachdem der Autor der *Vindiciae* dieses Motiv geliefert hat, ist er jedoch nicht bereit, die sich daraus ableitende Aktion gutzuheißen. Nur die unter ihm stehenden Amtsträger dürften einem götzendienerischen und bösen König Widerstand leisten – eine gesellschaftliche Einschränkung eines Bundesarguments. Gewöhnliche Männer und Frauen seien nur als Untertanen und Vasallen in den Bund einbezogen, und ihre Feudalherren hätten für sie zu sprechen. Aber es ist ein wesentlicher Zug des Bundesarguments, daß jede Person für sich selbst spricht. Moses ist ein Vermittler nur in physischem, nicht in moralischem oder geistigem Sinne, und im Moment der Vertragsschließung gibt es keine soziale oder kirchliche Hierarchie. Die Verantwortung obliegt allen gleichermaßen. Mit dem Vorwand, daß sie auf die Amtsträger warten müßten, schreibt der frühe puritanische Radikale und von Königin Maria ins Exil geschickte Christopher Goodman, »ziehen« gewöhnliche Männer und Frauen »den Kopf aus der Schlinge«. Aber die Schlinge sei der Bund, der Dienst an GOTT, nicht am Pharao, und ihm könne man sich nicht entziehen. Letzten Endes müsse er das Volk in das bis dahin verschlossene Reich politischer Aktion treiben. Goodman fährt fort: »Und obgleich es auf den ersten Blick als große Zerrüttung erscheint, daß das Volk die Bestrafung von Missetaten auf sich nehmen sollte, so legt doch GOTT das Schwert in die Hand des Volkes und wird selbst sofort zu seinem Oberhaupt ... wenn die Amtsträger ... aufhören, ihre Pflicht zu tun ...«[33]

Aber dies führt uns zu den Schwierigkeiten zurück, die ich im letzten Kapitel untersucht habe. Wer handhabt eigentlich das Schwert? Puritanische Radikale wie Goodman und sein schottischer Gefährte im Exil John Knox waren genauso wenig geneigt, auf »das Volk« zu warten wie auf die Amtsträger. Sie wandten sich an die Getreuen: »Her zu mir, wer dem HERRN angehört!« Und dann vollstrecken die Getreuen den Bund gegen das Volk, im Namen des Volkes selbst. Inzwischen sollte jedoch klar sein, daß die Bundesargumentation auch eine andere und demokratische Politik hervorrufen kann: öffentliche Verpflichtung, Unterweisung, prophetische Klage und öffentliche Neuverpflichtung. Der gesamte Prozeß gründet sich auf die moralische Befähigung gewöhnlicher Männer und Frauen und stellt eine langsame Vorwärtsbewegung dar (trotz der Rückfälle des Volkes und königlicher Korruption).

Dann muß die Avantgarde der Getreuen stets auf die Zustimmung des Volkes warten. Josias Reformation ist ein nützliches Vorbild, denn die Interpretation des Gesetzes und die Erneuerung des Bundes kommt an erster, die Unterdrückung der »Götzenpfaffen« und die rituelle »Verunreinigung der Höhen« (2. *Könige*, 23,2-14) erst an zweiter Stelle. Die Reformation wird von eifrigen Individuen inspiriert, die dem Bund verpflichtet sind, doch gerade diese Verpflichtung zwingt sie, die Zustimmung des Volkes zu ihren Kriegen zu suchen, bevor sie mit Gott an der Spitze in die Schlacht ziehen. Wie zeitgenössische Befreiungstheologen argumentieren, fordert der Bund (und, wie sie sagen würden, auch das Evangelium) nicht nur, daß wir gegen Unterdrückung Stellung beziehen, sondern auch, daß wir dies in »echter Solidarität« mit den Unterdrückten tun.[34]

IV

Der Bund ist ein Ereignis, das in den umfassenderen Prozeß der Befreiung eingebettet ist, und macht ein wesentliches Kennzeichen des Exodus-Musters aus. Wie das Muster als Ganzes wird er durch spätere Generationen von Bibellesern gewissenhaft nachvollzogen. Doch eher als jeder andere Teil des Musters ist der Bund eine explizite Aufforderung zum Handeln: »Du bist verpflichtet, nun tu, was Gott verlangt.« Es muß Männer und Frauen, die niemals, nicht einmal in ihrer Phantasie, am Fuße des Berges Sinai (oder an einem ähnlichen Platz) gestanden hatten, zuweilen überrascht haben, wenn sie hörten, sie trügen das Geschirr des Herrn. Dieser Anspruch paßt besser in eine deterministische als in eine voluntaristische Argumentation. Aber wenn die Menschen sich aufs neue verpflichten – wobei es nicht darauf ankommt, ob sie ein Ereignis ihrer eigenen oder der Geschichte eines anderen wiederholen –, machen sie sich selbst zu freien Männern und Frauen. Nachdem sie sich verpflichtet haben, sind sie natürlich in einer wichtigen Hinsicht unfrei, gebunden an den Gehorsam vor dem Gesetz. Doch da sie sich selbst gebunden haben, sind sie *frei gebunden*.

Auch ist es nicht unmöglich, das Gesetz zu brechen, wie sie rasch herausfinden werden. GOTTES Vögte sind nicht so wie die des Pharaos; sie lassen den Menschen mehr Spielraum. Und die herkömmlichen »Führer« des Volkes sind selbst wahrscheinlich eher geneigt, die Gebote zu brechen und Ungehorsam zu fördern (oder sogar zu verlangen), als Moses nachzueifern. Die Reichen und Mächtigen sind korrupt, und das Volk ist schwach, und bald wird es in ägyptische Dekadenz und Sklaverei zurücksinken. So heißt es in der Exodus-Geschichte des Buches *Nehemia*:

> Und unsre Könige, Fürsten, Priester und Väter haben nicht nach deinem Gesetz getan und nicht achtgehabt auf deine Gebote und Zeugnisse (hebräisch *'edoth*, »Pakte«) ... Siehe, wir sind heutigestages Knechte (Sklaven), und in dem Lande, das du unsern Vätern gegeben hast ... sind wir Knechte (Sklaven). (*Nehemia*, 9,34,36)

Aber diese Sklaven sind auch Männer und Frauen, die sich frei an GOTT gebunden haben. Und deshalb können sie auf eine Weise in die schwere Arbeit der Befreiung einbezogen werden, wie sie bei den ursprünglichen Sklaven in Ägypten undenkbar war. In der Zeit Esras und Nehemias bedeutete dies, den Bund zu erneuern und dann die politische und religiöse Gemeinschaft neu aufzubauen. In anderen Zeiten hat sich die schwere Arbeit der Befreiung auf radikale und oppositionelle Politik erstreckt – sogar auf eine Politik, die sich gegen Könige, Fürsten, Priester und Väter richtete.

Eine solche Politik ist keineswegs uneigennützig. Denn es ist nicht so, daß das Volk den Bund um des Bundes willen erfüllte oder seine Pflicht täte, weil sie getan werden muß. Es erfüllt den Bund um der göttlichen Verheißungen willen. Wenn es beschließt, den Marsch fortzusetzen, dann deshalb, weil es dem Gelobten Land entgegenzieht. Wir müssen nun fragen, was (und wo) das Gelobte Land ist.

Kapitel IV

DAS GELOBTE LAND

I

Ich habe im ersten Kapitel dieses Buches ausgeführt, daß das Ende der Exodus-Geschichte, das Gelobte Land, am Anfang als eine Hoffnung und ein Streben gegenwärtig gewesen sei; denn sonst hätte es keinen Anfang geben können. Die schwierige Frage bei Geschichten dieser Art lautet, ob das Ende am Ende gegenwärtig ist. Erreichen die Kinder Israel das Gelobte Land? Nun ja, sie erreichen es; allerdings schien das Land rosiger in der Verheißung als nach der Ankunft. Oder, besser gesagt, die Verheißung hatte, wie sich erweisen sollte, einige Einschränkungen. Das Land würde nie das sein, was es sein könnte, bis seine neuen Bewohner all das waren, was sie sein sollten. Die Verheißung hatte im Grunde einen komplexen Doppelcharakter; denn GOTT sagte: »... ich will euch ein Land zum Erbe geben, darin Milch und Honig fließt«, und ER sagte auch: »Und ihr sollt mir ein priesterliches Königreich und ein heiliges Volk sein.« Das Land stellt den Gegensatz zur ägyptischen Knechtschaft dar: freier Ackerbau statt Sklavenarbeit (in *Deuteronomium* 11 wird Freiheit mit Regen und Sklaverei mit Bewässerung in Zusammenhang gebracht – vielleicht handelt es sich um einen fernen Ursprung von Karl Wittfogels Theorie, daß der orientalische Despotismus von der Kontrolle der Wasserzufuhr herrühre[1]). Das priesterliche Königreich steht der ägyptischen Verderbtheit gegenüber: Heiligkeit statt Götzendienst. Die eine wie die andere dieser Verheißungen erfordert menschliche Kooperation. GOTT führt die Israeliten aus Ägypten hinaus, aber sie selbst müssen durch die Wüste ziehen, Kanaan erobern und das Land bestellen. Und GOTT gibt den Israeliten Gesetze, nach denen zu leben sie lernen müssen. Da die Gesetze nie völlig befolgt werden, wird das Land nie völlig in Besitz genommen. Kanaan wird Israel und bleibt trotzdem das Land der *Verheißung*.

Der Doppelcharakter der Verheißung scheint gut zu dem zu passen, was ich als leninistische Interpretation des Textes bezeichnet habe. In seiner Revolutionstheorie unterschied Lenin zwei Bewußtseinsformen – die erste sei typisch für die Masse der Arbeiter, die zweite für die Avantgarde –, und er erklärte, daß aus diesen Bewußtseinsformen zwei verschiedene politische Ziele erwüchsen. Das erste beziehe sich auf ein besseres Leben (Trade-Unionismus), das zweite auf eine neue Gesellschaft (Sozialismus).[2] Man kann einen ähnlichen Dualismus im Exodus entdecken; mehr noch, dies ist eine verbreitete Interpretation des Exodus, die zwar meist nicht mit leninistischen Wendungen ausgedrückt wird, aber leicht so ausgedrückt werden könnte. Das Versprechen von Milch und Honig wendet sich an das Bewußtsein der Sklaven in Ägypten. Deshalb wird das Versprechen zu einem frühen Zeitpunkt der Geschichte (*Exod.* 4,30), unmittelbar nach Mosis Rückkehr nach Ägypten, von ihm verkündet (genauer gesagt, von Aaron in Mosis Namen). Es repräsentiert die Hoffnung der Sklaven auf einen Anteil an dem, was ihre Herren schon besitzen, doch in ihrem eigenen Gebiet, wo sie weder Sklaven noch Fremde sein werden. Milch und Honig ist das, was sie sich spontan wünschen; da der Pharao ihnen ein bitteres Leben bereitete, hoffen sie nun auf etwas, was ihnen das Leben ein wenig versüßt. Das Versprechen der Heiligkeit dagegen wendet sich an das Bewußtsein von Moses selbst sowie der auserwählten Gruppe, die sich in der Wüste um ihn sammelt. Deshalb wird das Versprechen in der Wüste gemacht, nach dem »Auszug« aus Ägypten (*Exod.* 19,5-6). Heiligkeit ist die politische und religiöse Theorie der mosaischen Avantgarde, die das Volk diese Theorie lehrt und sie, wenn nötig, gegen das Volk verteidigt. Sie drückt die Ablehnung alles Ägyptischen durch die Avantgarde und ihre Vision dessen aus, wie Israel im Gelobten Land leben sollte. Die Wendung »ein priesterliches Königreich und ein heiliges Volk« hat keinen geographischen Bezugspunkt, sondern einen zeitlichen Bezug. Die verheißenden Verben in *Exodus* 19 stehen im Futur/Konditionalis. Sie können sich auf die unmittelbare Zukunft beziehen: Wenn ihr *jetzt sofort* MEINER Stimme gehorcht und MEINEN Bund einhaltet, sollt ihr *nun* ein priesterliches Königreich sein. In Wirklichkeit jedoch erfordert der Gehorsam ein mühevolles Ringen, das sich über viele Jahre erstreckt; die Heiligkeit liegt zeitlich in der Ferne, wie Kanaan räumlich in der Ferne liegt.

Das Volk, das von Milch und Honig träumt, setzt sich aus Materialisten zusammen; Moses und die Leviten, die von Heiligkeit träumen, sind Idealisten. Dies ist die gängige Interpretation des Murrens und, allgemeiner gesprochen, der politischen Kämpfe während des Aufenthalts in der Wüste. Aber die gängige Interpretation hat einen politischen Zweck: Sie stärkt die Position von Moses und den Leviten. Das Volk sieht und will etwas, Moses dagegen hat eine Vision und ein Programm. Oder, um die Sprache christlicher Darstellungen zu verwenden, das Volk folgt fleischlichen Begierden, während Moses, ein Prototyp CHRISTI, bereits andeutungsweise ein geistiges Ziel wahrnimmt, das er noch nicht enthüllen kann (oder welches das Volk noch nicht verstehen kann). Die Verheißungen und Prophezeiungen – schreibt Pascal – haben »unter dem fleischlichen Sinn, dem dieses Volk anhing, einen verborgenen, den geistigen Sinn, dem es feindlich war. Wäre der geistige Sinn enthüllt gewesen, so wären sie nicht fähig gewesen, ihn zu lieben«.[3] Ich würde eher sagen – und dies ist eine jüdische Darstellung –, daß der »geistige« Sinn enthüllt wurde und daß zumindest einige Angehörige des Volkes ihn durchaus liebten. Die Heiligkeit hatte ihre Befürworter, sogar ihre Zeloten. Die Spannungen, welche der Doppelcharakter der Verheißung hervorbringt, sind im Text deutlich sichtbar. Aber irgend etwas stimmt nicht, wenn diese Spannungen als simpler Gegensatz zwischen Materialismus und Idealismus, fleischlichem und geistigem Sinn, spontaner Politik und hoher Theorie geschildert werden. Es gibt nämlich – wenn ich mich so ausdrücken darf – auch einen Idealismus, einen »geistigen Sinn«, eine hohe Theorie von Milch und Honig; und man kann umgekehrt leicht erkennen – schließlich wird es im Text sogar angedeutet –, daß die Leviten durchaus ein materielles Interesse an der Heiligkeit haben. Wir müssen jedes dieser Beispiele – und einige ihrer historischen Wiederholungen und Nachempfindungen – sorgfältiger betrachten.

II

Die Verheißung von Milch und Honig wird endlos weiterentwikkelt, zuerst in jenen biblischen Texten – hauptsächlich *Deuteronomium* und *Prophetische Bücher* –, die sich dem Exodus widmen, und dann in späteren religiösen und politischen Auslegungen. Die frühesten Lesarten malen das Bild des Gelobten Landes einfach nur weiter aus. Zum Beispiel spricht Moses in einer seiner Predigten im *Deuteronomium* zum Volke:

> Denn der HERR, dein GOTT, führt dich in ein gutes Land, ein Land, darin Bäche und Brunnen und Seen sind, die an den Bergen und in den Auen fließen; ein Land, darin Weizen, Gerste, Weinstöcke, Feigenbäume und Granatäpfel sind; ein Land, darin Ölbäume und Honig wachsen; ein Land, darin du Brot genug zu essen hast, da dir nichts mangelt. (*Deut.* 8,7-9).

Interessanterweise verspricht Moses nicht – nicht einmal zu diesem späten Datum (er predigt kurz vor seinem Tod und dem Übergang der Hebräer ins Land Kanaan) –, die Fleischtöpfe zu füllen, als widerstrebe es ihm immer noch, dem Wunsch des Volkes jenes letzte Zugeständnis zu machen. Immerhin ist die Bedeutung klar genug: Milch und Honig stehen für materiellen Überfluß; die Worte beschwören das Bild eines Landes herauf (und sollen es heraufbeschwören), in dem das Leben leicht ist. Aber dieses Bild wird noch weiter ausgemalt. Ein Land ohne Mangel ist gleichzeitig ein Land ohne Unterdrückung; die Bilderwelt von Weiden und Feldern aus der ursprünglichen Verheißung kann mühelos ins Moralische gewendet werden, wie in den Trostworten der Propheten. Eine von Jesajas Visionen des neuen Jerusalem bietet ein gutes Beispiel:

> Sie (mein Volk) werden Häuser bauen und bewohnen; sie werden Weinberge pflanzen und ihre Früchte essen. Sie sollen nicht bauen, das ein anderer bewohne, und nicht pflanzen, was ein anderer esse. (*Jesaja* 65,21-22)

Hier wendet der Prophet sich wahrscheinlich an die Gefangenen in

Babylon; er versichert ihnen, daß sie eines Tages im Gelobten Land leben werden, und diesmal ohne die Furcht vor fremder Eroberung. Diese Worte verweisen jedoch darauf, daß sie frei von heimischer Knechtschaft sein werden. In dem neuen Jerusalem wird es keine brutalen Fronvögte geben, welche die Erzeugnisse des Volkes an sich reißen: »Und das Werk ihrer Hände wird alt werden bei meinen Auserwählten. Sie sollen nicht umsonst arbeiten« (*Jesaja*, 65,22-23). Jesajas Vision nutzt immer noch die Erinnerung an Ägypten aus – obwohl es nun andere Erinnerungen, nicht so lange zurückliegende Bedrückungen gibt.

Es geht also nicht nur um die »Fische, die wir in Ägypten umsonst aßen«, um die »Kürbisse und Melonen«, die »Zwiebeln und den Knoblauch«. Die Verheißung dem Volk gegenüber ist umfassender, denn das Volk träumt auch von Gerechtigkeit und Freiheit. In seiner Vorstellung (wie in unserer) sind das Materielle und das Ideelle, das Fleischliche und das Geistige nicht so leicht voneinander zu trennen. Wieder und wieder tauchen diese Gegensätze in der Geschichte von Volkskämpfen gemeinsam auf. Man nehme zum Beispiel die Worte eines radikalen Pamphletisten während der Englischen Revolution, der Kanaan beschreibt als »ein Land von großer Freiheit, das Haus des Glücks, wo (die Kinder Israel), wie die Lilien des Herrn, nicht arbeiten, sondern in einem Land wachsen, in dem süßer Wein, Milch und Honig fließen ... ohne Geld«.[4] »Glück« klingt wie eine typische moderne Vision der Verheißung; es ist ein wenig seltsam, sich vorzustellen, daß die Israeliten auf der Suche nach Glück durch die Wüste ziehen. Aber das liegt nur daran, daß das Wort, wie wir es begreifen, ein wenig zu schwach ist. Dem Volk, das in Ägypten darbte, wurde in Kanaan wirkliche Freude verheißen: »Und sollt daselbst vor dem HERRN, eurem GOTT, essen und fröhlich sein, ihr und euer Haus, über alles, was eure Hand vor sich bringt ...« (*Deut.* 12,7) »Freude« und »Fröhlichkeit« sind übliche Beschreibungen des Lebens im Gelobten Land – und später in dieser oder jener nachrevolutionären Gesellschaft. Vielleicht ist Glück einfach die säkularisierte Version religiöser Freude. Jedenfalls wird das Wort nicht nur in der Unabhängigkeitserklärung, sondern auch in den Exodus-Predigten der 1770iger und 1780iger Jahre benutzt, um das Ziel der Amerikanischen Revolution zu beschreiben.[5] (Der Parallelbegriff, der zu Heiligkeit gehört wie Glück zu Milch und Honig, ist »Tugend«). Ich muß jedoch hinzufügen, daß die Idee eines Landes ohne Geld keinen biblischen Ursprung hat; es ist eine moderne (oder vielleicht eine spätmittelalterliche) Erfindung. Aber es handelt sich um eine nicht ganz unglaubwürdige Weiterentwicklung der Ideen von Gerechtigkeit und Fülle, und sie hat ein langes künftiges Leben.

Im heutigen Lateinamerika beschreiben katholische Priester, die sowohl Marx als auch die Bibel gelesen haben, das Gelobte Land als eine Gesellschaft, die endlich frei von »Ausbeutung« sei. Sie weisen Pascals Beharren auf der bloßen Fleischlichkeit von Milch und Honig ausdrücklich zurück. Etwa Gutiérrez:

> ... man gewinnt den Eindruck, einer solchen Formulierung (sc. Pascals) liege eine Voraussetzung zugrunde, die aufgedeckt werden muß. Es handelt sich um einen Begriff von »geistig«, der das Kennzeichen eines abendländischen dualistischen Denkens (Materie-Geist) trägt ... Ein so verstandenes »geistig« scheint saft- und kraftlos und wähnt sich voller Verachtung über jede irdische Wirklichkeit erhaben. Das Problem heißt nicht »zeitliche oder geistige Verheißung« ... (es geht) vielmehr um partielle Erfüllung in befreienden geschichtlichen Ereignissen ...

Die fleischliche oder weltliche Verheißung habe einen ethischen Sinn, der sich aus der Tatsache ableite, daß sie Sklaven verkündet wurde. Sie setze voraus: »Verteidigung der Rechte der Armen, Bestrafung der Unterdrücker, ein Leben ohne Furcht, durch andere versklavt zu werden ...« Diese Aspekte von Milch und Honig im Namen des Geistes zu vernachlässigen oder abzuwarten heiße, den Geist nicht zu verstehen. »Die Überwindung von Elend und Ausbeutung«, fährt Gutiérrez fort, »ist ein Zeichen für das Kommen des Reiches.«[6] Dies ist auch, wie ich meine, die prophetische Ansicht der ersten Exodus-Verheißung, und sie läßt sich nicht – mit leninistischen Begriffen – auf den »Trade-Unionismus« der Unterdrückten reduzieren. Die Tür der Hoffnung öffnet sich einer größeren Vision, nicht einfach einer Vision, daß von allen verfügbaren guten Dingen immer mehr vorhanden zu sein habe, sondern, daß für jeden genug da sei. Dann wird jeder seines Besitzes sicher sein, und es wird keine Tyrannen im Lande geben. »Ein jeglicher wird unter seinem Weinstock und Feigenbaum wohnen ohne Scheu« (*Micha*, 4.4).

III

Aber man kann sich einen levitischen Einwand gegen dies alles vorstellen: daß es die Befreiung zu leicht erscheinen lasse, als brauche man nur aus Ägypten zu fliehen und in Kanaan einzutreffen; als gebe es irgendeine Magie im Gelobten Land selbst. In der Tat weist die jüdische Philosophie Tendenzen auf, die wir für territorialistisch halten könnten – Anspielungen darauf, daß es gut sei und Segnungen garantiere, bloß in diesem Land zu leben.[7] Aber die tiefergehende Aussage der Exodus-Geschichte lautet, daß Rechtschaffenheit die einzige Garantie ist. Und dies ist auch das Argument der Propheten, die nicht nur die größere Bedeutung von Milch und Honig, sondern auch die radikale Bedingtheit des Sinai-Bundes unterstreichen. Jesaja sagt: »Wollt ihr mir gehorchen, so sollt ihr des Landes Gut genießen« (*Jesaja*, 1,19). Sonst nicht. Für Moses und die Leviten ist das Hauptziel des Exodus die Gründung eines »priesterlichen Königreichs und eines heiligen Volkes«. Nur für ein solches Volk werde das Gelobte Land seine Verheißung erfüllen. Wenn man Sklaven nach Kanaan bringt, wird Kanaan bald ein zweites Ägypten werden. Natürlich hat GOTT versprochen, daß Israel heilig sein werde, aber ER hat nicht versprochen, daß es morgen oder am nächsten Dienstag oder auch erst am Ende der vierzig Jahre heilig sein werde. Nach territorialistischen Begriffen hat die Verheißung von Milch und Honig einen weltlichen Endpunkt: Früher oder später wird das Volk den Jordan überqueren und das Land betreten. Nach ethischen Begriffen ist die Verheißung im weltlichen Sinne ungewiß; denn ihre Verwirklichung hängt nicht davon ab, wohin wir unsere Füße stellen, sondern davon, wie wir unseren Geist verfeinern. Aber wieder einmal ist dieser Kontrast noch zu heftig; bereits der Marsch durch die Wüste und die Eroberung des Landes verlangen, für sich genommen, Energie und Solidarität. Die Verwandlung der Meute von Sklaven in ein diszipliniertes (heiliges) Volk ist eine politische wie eine religiöse Notwendigkeit. Und so wird die Maxime *Keine Milch und kein Honig ohne Gehorsam* GOTT *gegenüber* politisch wie religiös plausibel. Immerhin ist es nicht gleichgültig, ob man eher Milch und Honig oder die göttlichen Gebote betont.

Was ist nun die Bedeutung von »ein priesterliches Königreich und ein heiliges Volk«? Die zweite Verheißung ist eng mit der ersten oder zumindest mit der erweiterten Version der ersten verbunden, und zwar auf eine offensichtliche und dann auf eine komplexe Weise. Von einem heiligen Volk wird verlangt, daß seine Angehörigen dem göttlichen Gesetz gehorchen, und ein großer Teil jenes Gesetzes hat mit der Ablehnung der ägyptischen Knechtschaft zu tun. In einem solchen Volk würde also niemand einen Fremden unterdrücken oder seinen Dienern die Sabbatruhe verweigern oder einem Arbeiter seinen Lohn vorenthalten. Ein priesterliches Königreich wäre ein Königreich ohne einen König (GOTT wäre der König); folglich hätte es keine Pharaonen und keine Fronvögte. Es gäbe niemanden mit der Macht, »eure schönsten Jünglinge zu nehmen und seine Geschäfte damit auszurichten«. Die Propheten verteidigen die Idee eines heiligen Volkes und wenden sich wiederholt gegen politische Tyrannei und soziale Ungerechtigkeit; wiederum ist es schwierig, beides klar voneinander zu trennen. Ich brauche keine Stellen zu zitieren, denn dies sind wahrscheinlich die vertrautesten Teile der Bibel. Ich möchte nur noch einmal hervorheben, wie sehr die Propheten mit ihren Rügen auf den Hintergrund des Exodus zurückgreifen, indem sie die Bilder der Knechtschaft und der Befreiung immer wieder heraufbeschwören. Die Erinnerung an Ägypten ist ein wesentlicher Zug des neuen Nationalbewußtseins.[8]

Also treffen die beiden Verheißungen einander: Wenn kein Angehöriger des heiligen Volkes ein Unterdrücker ist, dann wird kein Bewohner des Gelobten Landes unterdrückt werden. Aber über die zweite Verheißung bleibt noch einiges zu sagen. »Ein priesterliches Königreich und ein heiliges Volk« ist die ursprüngliche Version; sie bildet eine der wichtigsten Quellen für eine ganze Reihe revolutionärer Programme: für das puritanische heilige Commonwealth, die jakobinische Republik der Tugend, sogar für Lenins kommunistische Gesellschaft. Keines dieser Systeme wird durch das negative Ideal der Nichtunterdrückung angemessen charakterisiert. In keinem von ihnen reicht es hin, wenn die Menschen glücklich unter ihren Weinstöcken und Feigenbäumen sitzen. Sie alle fordern eine aktive und lebhafte Teilnahme am religiösen und/oder politischen Leben, und zwar nicht nur von einigen Vertretern des Volkes, sondern von allen. Die Verheißung von Milch und Honig zieht so etwas wie eine negative Gleichheitslehre nach sich: Sie richtet sich gegen die maßlose Ungleichheit von Tyrann und Untertan, Fronvogt und Sklave. Die zweite Verheißung zielt auf positive Gleichheit ab: In GOTTES Königreich werden alle Hebräer Priester und das Volk als Ganzes wird heilig sein. Deshalb war die Einrichtung des levitischen Priestertums nach »der Sünde des Volkes mit dem Kalb« eine Niederlage für das revolutionäre Trachten. Die Lage ist jedoch nicht ganz mit einer Rückkehr nach Ägypten vergleichbar – jedenfalls wird sie nicht so geschildert –, denn die Schaffung des Königreichs ist nur aufgeschoben, nicht aufgehoben worden. In einem rabbinischen Kommentar heißt es, daß das Königreich sogar kurz, zwischen dem Bund und der Anbetung des Goldenen Kalbes, existiert habe. Während jener Zeit habe jeder Israelit (oder vielleicht nur jeder erstgeborene Israelit) die Privilegien eines Priesters genossen; danach seien diese Privilegien auf die Leviten und die Söhne Aarons eingeschränkt worden.[9]

Sobald diese Einschränkung vollzogen ist, ermöglicht die zweite Verheißung eine neue Art Opposition gegen Moses und seine unmittelbaren Anhänger. Man halte sich einen Moment lang das Beispiel Eldads und Medads in *Numeri* 11 vor Augen. Inzwischen steht die Stiftshütte seit einigen Monaten außerhalb des Lagers, und religiöse Offenbarungen werden, unter Mosis Vorsitz, von dort verkündet.

> Es waren aber noch zwei Männer am Berge geblieben; der eine hieß Eldad, der andere Medad ... und sie weissagten im Lager. Da lief ein Knabe hin und sagte es Mose an und sprach: Eldad und Medad weissagen im Lager. Da antwortete Josua, der Sohn Nuns, Mosis Diener ... und sprach: Mein Herr Mose, wehre ihnen. Aber Mose sprach zu ihm: Bist du der Eiferer für mich? Wollte GOTT, daß all das Volk des HERRN weissagte und der HERR Seinen Geist über sie gäbe. (*Numeri* 11,26-29)

Moses erinnert sich an die Verheißung, während Josua sie bereits vergessen hat. Oder Josua geht es, ungeachtet der Verheißung, vor allem darum, die brüchige Autorität der neuen religiösen und politischen Führung zu erhalten.[10] Letztlich dürfen Eldad und Medad ihre Weissagungen fortsetzen, und unabhängige Prophezeiungen bleiben ein ähnliches, wenn auch oft bedrohtes Merkmal des religiösen Lebens von Israel. Aber die neue Führung gewinnt die Oberhand, wie Josua es wollte, und zwar für lange Zeit. Mosis Hoffnung wird von dem Propheten Joel in eine Mission des messianischen Zeitalters umgewandelt:

> Und nach diesem will ich meinen Geist ausgießen über alles Fleisch, und eure Söhne und Töchter sollen weissagen; eure Ältesten sollen Träume haben, und eure Jünglinge sollen Gesichte haben; auch will ich zur selben Zeit über Knechte und Mägde meinen Geist ausgießen. (*Joel*, 3,1-2)

Das ganze Volk – Söhne und Töchter, alt und jung, Herren und Diener – wird *nach diesem* heilig sein; vorläufig gibt es jedoch noch Priester und Propheten, die Autorität über ihre Gefährten beanspruchen. Wie kann ein solcher Anspruch gerechtfertigt sein? Dies ist die Frage, die der Rebell Korah stellt. Er spricht zu Moses und Aaron: »Ihr macht's zu viel. Denn die ganze Gemeinde ist überall heilig, und der HERR ist unter ihnen; warum erhebt ihr euch über die Gemeinde des HERRN?« (*Num.* 16,3) Korah ist der erste Linksoppositionelle in der Geschichte radikaler Politik. (Die rabbinischen Weiterentwicklungen von Korahs Aussage betonen seinen Radikalismus und lassen ihn nicht nur als einen politischen, sondern auch als einen gesellschaftlichen und wirtschaftlichen Rebellen erscheinen.[11]) Moses gibt im Text keine Antwort, aber man kann sich leicht vorstellen, was er gesagt haben könnte. Seine Erfahrung – in Ägypten und in der Wüste – hatte ihm ein starkes Gefühl für die Unheiligkeit des Volkes aufgezwungen. Dem Bund zum Trotz mußte Israel immer noch heilig werden: »Du sollst sein ...« Dies würde ein langes und schmerzhaftes Ringen erfordern. Korah hatte den großen Moment der Befreiung und den Enthusiasmus des ursprünglichen Bundes nicht als eine Verheißung dessen erlebt, was in der fernen Zukunft sein könnte, sondern als eine unmittelbare Realität. Deshalb interpretieren die Midraschim seine Klage folgendermaßen:

> *Die ganze Gemeinde ist überall heilig*, und alle haben am Berg Sinai das Gebot gehört: Ich bin der HERR, dein GOTT! (*Exod.* 20,2): *Warum erhebt ihr euch über die Gemeinde des Herrn* ... Wenn nur ihr allein das Gebot gehört hättet, die anderen aber nicht, könntet ihr Überlegenheit beanspruchen. Aber ... nun haben es alle gehört.[12]

Jeder, der die Sinai-Erfahrung geteilt hatte, sei heilig, und deshalb benötige man keinen Führer oder eine Priesterschaft. Doch dies, hätte Moses entgegnet, würde Heiligkeit, wie Milch und Honig, zu leicht erreichbar machen. In Wirklichkeit sei sie ein schwieriges Unterfangen. Allerdings könnten wir befürchten, daß es nun im Interesse der Leviten wäre, sie noch schwieriger zu machen.

Viele Jahrhunderte später erneuerte der Protestantismus die Verheißung der universellen Priesterschaft und des universellen Prophetentums. John Milton, der sein Werk *Areopagitica* in den frühen Jahren der Puritanischen Revolution schrieb, glaubte, der Augenblick der Erfüllung sei endlich eingetroffen: »Denn nun scheint die Zeit gekommen, worin Moses der große Prophet im Himmel sitzen und sich freuen kann, weil er sieht, daß sein denkwürdiger und glorreicher Wunsch sich erfüllt hat, da ... alle Menschen des HERRN zu Propheten geworden wind.«[13] Im Jahre 1644 schien es nur notwendig, das Volk von dem »Verdruß« (Miltons Ausdruck) zu befreien, den ihm Männer wie Josua bereiteten. Sieben Jahre später, als Cromwell von neuem in die Debatte eingriff, sahen die Dinge ganz anders aus. Als Cromwell die erste Sitzungsperiode des Parlaments der Heiligen eröffnete, fühlte er sich genötigt zu erklären, weshalb die Mitglieder nicht gewählt, sondern ernannt, von ihm selbst »berufen« worden waren, nicht von »der Stimme des Volkes«. Gewiß wäre eine Wahl vorzuziehen gewesen, sagte er. »Niemand kann sie sich mehr wünschen als ich! Wenn nur alle Menschen des HERRN Propheten wären. Ich wünschte, alle wären fähig, berufen zu werden.« Aber sie seien eben noch nicht fähig, und die »geeignetste Weise, sie zu ihren Freiheiten hinzuführen«, bestehe darin, daß »gottesfürchtige Männer sie nun in der Furcht GOTTES beherrschen«.[14] Moses hätte wahrscheinlich die gleichen Worte benutzt.

Man kann eine ähnliche Geschichte im Falle der Französischen Revolution nachzeichnen, wenn auch wahrscheinlich ohne die Exodus-Bezüge. Das ursprüngliche Versprechen der Revolution (nach dem Versprechen des Brotes) besagte, daß alle, und zwar gleichberechtigt, an den erfolgreichen religiösen oder politischen Verrichtungen beteiligt sein würden. Aber wieder einmal erwies sich, daß einige berufen waren und andere nicht. Die Jakobinervereine brachten eine Priesterschaft tugendhafter Bürger hervor. Die vielleicht einzige Möglichkeit, eine solche Priesterschaft zu vermeiden, besteht darin, die Strenge der erforderlichen Verrichtungen zu mildern, Heiligkeit und Tugend weniger beschwerlich zu machen, als Männer wie Cromwell und Robespierre sie sich vorstellten. Vermutlich ist dies der demokratische Weg – oder zumindest ein demokratischer Weg –, die zweite Verheißung zu erfüllen. Vielleicht ist es der amerikanische Weg. Ich fand ein gutes Beispiel in einer Vorlesung, die David Brewer, ein Richter am Obersten Gerichtshof der Vereinigten Staaten, im Jahre 1902 vor den Studenten der Yale University hielt. Die Wahlkabine, sagte Brewer,

> ist der Tempel der amerikanischen Institutionen. Kein einzelner Stamm oder keine einzelne Familie ist auserwählt, die heiligen

> Feuer zu beobachten ... Jeder von uns ist ein Priester. Jedem von uns ist die Obhut für die Arche des Bundes anvertraut. Jeder wirkt an ihren Altären.[15]

Und dafür brauchen wir nichts anderes zu tun, als unsere Stimme abzugeben! Aber Amerika während der Jahrhundertwende scheint kein überzeugendes Beispiel eines »priesterlichen Königreichs und eines heiligen Volkes« zu sein. Es erinnert eher an ein Volk, das im Gelobten Land lebt, aber langsam in ägyptische Praktiken zurückfällt – genau wie das erste Israel.

IV

Die Israeliten überschritten den Jordan und fanden sich kurz darauf in Ägypten wieder. Natürlich war die ursprüngliche Verheißung erfüllt worden, aber so, wie sich Verheißungen in der Geschichte, nicht im Mythos erfüllen. Ich werde an Thomas Manns Schilderung erinnert: Joseph deutet den Traum des Pharaos und sagt sieben fette und sieben magere Jahre voraus. Natürlich verwirklichte sich die Voraussage, schreibt Mann, aber die sieben fetten Jahre glichen eher fünf Jahren, und von diesen fünf waren zwei nicht viel fetter (wenn auch keineswegs magerer) als mittelfette Jahre ...[16] Im Land Kanaan flossen Milch und Honig also nicht gerade, aber es gab Milch und Honig und auch Fleisch, um die Töpfe zu füllen. Der erweiterte Sinn der Verheißung – das Ende der Unterdrückung – war problematischer. Der Pharao erschien von neuem in Moabiter- und Philister- und dann in israelitischer Gestalt. Ernst Bloch schreibt: »Die ägyptischen Vögte hatten nur den Namen gewechselt, sie saßen nun in den israelitischen Städten selbst ...«[17]

Im Text wird die neue Unterdrückung einfach und geradlinig erklärt: »Und die Kinder Israel taten übel vor dem HERRN.« Dies ist das durchgehende Thema des Buches der Richter (siehe zum

Beispiel *Richter,* 3,7,12 und 4,1); es stellt einen Zusammenhang her zwischen den militärischen Erfolgen der Feinde Israels und den wiederholten Rückfällen des Volkes in den Götzendienst. Die Propheten argumentieren umfassender: Die Unterdrückung der Israeliten durch Fremde habe ihre tiefste Ursache in der gegenseitigen Unterdrückung der Israeliten. Dies wird kurz und scharf im ersten Kapitel der *Klagelieder Jeremias* ausgedrückt: »Juda ist gefangen in Elend und schwerem Dienst« (1,3, wo die Exodus-Worte wiederholt werden). Wir können die Einzelheiten mit Hilfe von Jesaja und Jeremia ergänzen. Das Volk wandte sich der Götzenanbetung zu, dem Fetischismus materieller Dinge, dann den materiellen Dingen selbst, dann ägyptischem Luxus. Es entsagte den Geboten, vergaß, daß es selbst versklavt gewesen war – und unterdrückte dann (jedenfalls einige seiner Angehörigen) die Armen. Und als es sich der Unterdrückung wegen schuldbewußt fühlte, kehrte es mit Opfern zu GOTT zurück und fastete reumütig: Für jeweils einen Tag verzichtete es auf Milch und Honig. Aber GOTTES Auge sieht, den Propheten zufolge, die ganze Kette des Übels, und was ER, sogar im Gelobten Land, fordert, ist eine neue Befreiung. Deshalb heißt es bei Jesaja:

> Das ist aber ein Fasten, das ich erwähle: Laß los, welche du mit Unrecht gebunden hast; laß ledig, welche du beschwerst; gib frei, welche du drängst; reiß weg von allerlei Last. (*Jesaja,* 58,6)

Wie der Pharao Joseph vergaß, so haben die Israeliten nun Ägypten vergessen – was bedeutet, daß sie den GOTT vergessen haben, der sie aus Ägypten rettete; und die göttliche Rettung zu vergessen heißt, in ägyptische Unterdrückung zurückzukehren. Dies ist die prophetische Version von Santayanas Grundsatz, daß diejenigen, die sich nicht an die Vergangenheit erinnern können, dazu verurteilt seien, sie zu wiederholen. Und wenn die Unterdrückung wiederholt wird, dann muß das gleiche für die Befreiung gelten.

Die beiden Verheißungen sind also wieder, auf komplexere Weise, miteinander verbunden. Heiligkeit schafft Freiheit und Gerechtigkeit, aber sie ist nur in dem Maße wirksam, wie sie einen

Lebensstil, eine religiöse und politische Kultur beschreibt. Die Israeliten werden kein heiliges Volk sein, bis sie alle an einer Welt ritueller Erinnerung teilnehmen; bis sie das Passahfest feiern, am Sabbat ruhen, das Gesetz studieren, bis sie sich aktiv von »allerlei Last wegreißen« und mit dem zu leben lernen, was Bloch »das untilgbare Subversive« der Exodus-Geschichte nennt.[18] Dies ist GOTTES Reich, und in irgendeinem letzten Sinne ist jeder andere Ort Ägypten.

V

Die Entdeckung Ägyptens in Kanaan löst eine Reihe von Neuinterpretationen des Exodus aus. Die erste und seltsamste (die wir allerdings seitdem immer wieder beobachten konnten) betrifft das, was man am besten eine Romantisierung der Wüstenperiode nennen könnte. Die Propheten Hosea und Jeremia sind die führenden Romantiker. Für sie ist der ethische Höhepunkt des Exodus nicht die Ankunft in Kanaan, sondern der Marsch durch die Wüste – genauer gesagt, der Anfang des Marsches. Die Verpflichtung des Volkes GOTT gegenüber sei nie stärker gewesen als in jenem wunderbaren Moment, da es IHN wählte und IHM »in ein Land von Wüsten und Gruben« folgte. Jeremia läßt GOTT zu Israel sagen: »Ich gedenke, da du eine freundliche, junge Dirne und eine liebe Braut warst, da du mir folgtest in der Wüste« (*Jeremia*, 2,2). Jugend und Liebe sind hier die Symbole religiöser Reinheit und religiösen Eifers. Hosea stellt sich vor, daß GOTT Israel verführt, um jenen Eifer wiederzuentfachen:

> Darum siehe, ich will sie locken und will sie in eine Wüste führen und freundlich mit ihr reden. Da will ich ihr geben ihre Weinberge aus demselben Ort und das Tal Achor zum Tor der Hoffnung. Und daselbst wird sie singen wie zur Zeit ihrer Jugend, da sie aus Ägyptenland zog. (*Hos.*, 2,16,17)

Vergessen ist hier die Furchtsamkeit des Volkes am Meer und sein unaufhörliches Murren in der Wüste. Für Hosea ist die Bereitschaft der Israeliten entscheidend, nicht ihr Zögern und ihre Besorgnis. Seitdem haben viele Radikale den gleichen Gesichtspunkt hervorgehoben: Der moralische Höhepunkt der Revolution ergibt sich an ihrem Anfang, wenn unterdrückte Männer und Frauen die ersten Schritte auf die Freiheit zu machen.[19] Danach folgt nichts als Mühe, aber wenigstens ist es vom Volk selbst veranlaßte Mühe, nicht das Leid von Sklaven.

Der Prophet im Gelobten Land beschwört den ursprünglichen Moment der Befreiung und hofft, ihn wiedereinzufangen und zu verlängern. Doch dies verlangt seinerseits eine neue Interpretation der Verheißung. Wie wunderbar die ersten Tage der Freiheit auch gewesen sein mögen, niemand, der bei Sinnen ist, würde in die Wüste ziehen, wenn es keine Hoffnung auf ein »gutes Land« am anderen Ende gäbe. Aber wie kann dieses Land beschrieben werden, wenn man bereits dort ist und enttäuscht wurde? Ich sollte sofort hinzufügen, daß dies kein permanentes Problem ist, da das Volk, wie sich erweist, sich nicht permanent in dem Land niedergelassen hat. Die Propheten, die sich nach dem Exil der nördlichen Stämme oder in den Jahren der Babylonischen Gefangenschaft äußern, können einen neuen Exodus an denselben Ort beschreiben. Der Ort hat nun einen neuen Namen – Israel, nicht Kanaan –, aber es ist immer noch ein Land, in dem Milch und Honig fließen, und das alle weiteren Freuden birgt, die von Milch und Honig symbolisiert werden. Die Verheißung wird wiederholt, ihre Erfüllung hinausgeschoben: Die wahre und endgültige Inbesitznahme des Landes muß sich noch vollziehen. Die erste Befreiung war unvollständig oder wurde verworfen, als das Volk sich im Gelobten Land – wie am heiligen Berg – »selbst verdarb«. Aber es würde eine zweite Befreiung geben, großartiger als die erste. So tröstete Jeremia das Volk des Südreiches:

> Darum siehe, es wird die Zeit kommen, spricht der HERR, daß man nicht mehr sagen wird: So wahr der HERR lebt, der die Kinder Israel aus Ägyptenland geführt hat! Sondern: So wahr der HERR lebt, der den Samen des Hauses Israel hat herausge-

> führt und gebracht aus dem Lande der Mitternacht und aus allen Landen, dahin ich sie verstoßen hatte, daß sie in ihrem Lande wohnen sollen! (*Jeremia*, 23,7-8)

Die jüdische messianische Philosophie – und jede messianische Philosophie – hat ihre Ursprünge in der Idee eines zweiten Exodus. Die Idee vermischt sich bald – auf eine Weise, die ich nicht versuchen werde zu erklären – mit Elementen der royalistischen Ideologie des Hauses David, und der künftige Führer der Erlösung wird häufiger mit königlichen als mit prophetischen Begriffen geschildert.[20] Im Moment möchte ich nur betonen, daß das Hinausschieben der Verheißung eines der Mittel ist, mit ihrem (zeitweiligen) Scheitern fertig zu werden. Die Verzögerung ist ein Vorwurf an das Volk, doch ein Vorwurf, der die Tür der Hoffnung offenhält. Wenn es bereut und sein Benehmen ändert, wird es schließlich doch noch Milch und Honig des Landes genießen; all seine Angehörigen werden schließlich doch noch Priester in GOTTES Königreich werden. Die Verheißung wandelt sich im Gelobten Land nicht. Unter Bedingungen, welche den Höhepunkt des »Rückfalls« repräsentieren – Unterdrückung zu Hause und dann eine neue Gefangenschaft –, wiederholen die Propheten einfach die Voraussetzungen des Sinai-Bundes. Sie stellen das Gewissen der Revolution dar.

Aber es gibt alternative Mittel, dem Scheitern zu begegnen – Alternativen, die in den Büchern, aus denen ich gerade zitiert habe, häufig »ausprobiert« werden. Während man die Verheißung hinausschiebt, entwickelt man sie gleichzeitig weiter, erhöht sie und verändert letzten Endes ihren Charakter. Sie verliert ihre genauen historischen und geographischen Dimensionen, aber sie leuchtet um so deutlicher im geistigen Raum. Die Verheißung wird utopisch. Ich möchte ein relativ maßvolles, doch nicht weniger aufschlußreiches Beispiel für diesen Prozeß anführen, bevor ich mich seinen extravaganteren Ergebnissen zuwende. In *Jeremia* 31 verspricht der Prophet dem Volk nicht nur einen neuen Exodus, sondern auch einen neuen Bund – einen Bund, der sich von dem ursprünglichen erheblich unterscheidet:

> Siehe, es kommt die Zeit, spricht der HERR, da will ich mit dem Hause Israel und dem Hause Juda einen neuen Bund machen; nicht, wie der Bund gewesen ist, den ich mit ihren Vätern machte, da ich sie bei der Hand nahm, daß ich sie aus Ägyptenland führte, welchen Bund sie nicht gehalten haben ... sondern das soll der Bund sein, den ich mit dem Hause Israel machen will nach dieser Zeit, spricht der HERR: Ich will mein Gesetz in ihr Herz legen und in ihren Sinn schreiben ... und wird keiner den andern noch ein Bruder den andern lehren und sagen: »Erkenne den HERRN«, sondern sie sollen mich alle kennen, klein und groß, spricht der HERR. (*Jeremia,* 31,31-34)

Dies ist eine bemerkenswerte Passage – nicht zuletzt, weil sie die Möglichkeit eines messianischen Zeitalters, ohne einen Messias andeutet. Obwohl der Prophet die Bilder des Exodus benutzt, macht er Moses überflüssig, nicht nur als Lehrer, sondern auch als politischen Führer, denn die Aussage, daß »keiner den andern, noch ein Bruder den andern lehren« solle, spielt auf das mosaische Gebot von *Exodus* 32 an, daß ein jeglicher seinen Bruder, Freund und Nächsten erwürgen solle. Aus dem gleichen Grunde, wie es nicht mehr nötig sein wird, zu töten, wird es auch nicht mehr nötig sein, zu lehren, denn das Volk wird dem Gesetz bereitwillig und aus ganzem Herzen gehorchen. GOTT wird das avantgardistische Bewußtsein zum natürlichen oder spontanen Bewußtsein gewöhnlicher Männer und Frauen machen.

Der ursprüngliche Bund wurde vor den Ohren des Volkes verlesen, und er war, wie ich betont habe, in der Bedingungsform gehalten: »Werdet ihr nun meiner Stimme gehorchen ... sollt (ihr) mir ein priesterliches Königreich ... sein« (*Exod.* 19,5-6). Der neue Bund richtet sich nicht an die Ohren des Volkes; er wird in die Herzen eingeschrieben, so daß die frühere Bedingtheit (wenn/dann) nicht mehr relevant ist; es kann keinen Ungehorsam geben. Was Jeremia verspricht, ist im Grunde eine Umwandlung des menschlichen Charakters oder, besser gesagt, das Wiedererscheinen des alten Adam – ein wenig unangebracht im Land der Wüsten und Gruben, wie ich meine. Danach ist es nur noch ein kurzer und zwingender Schritt dazu, Adam auch heimzubringen, also nicht

Kanaan, sondern Eden zum Ziel des zweiten Exodus zu machen. Dies ist der entscheidende Schritt für die Entwicklung eines selbständigen Messianismus aus dem Exodus-Denken heraus. Danach kann der Exodus, zuerst in der jüdischen apokalyptischen Literatur und dann in christlichen Schriften, als eine Allegorie für die letztliche Erlösung der Menschheit neu interpretiert werden. In beiden Fällen – allerdings nachdrücklicher und beharrlicher in der christlichen Tradition – neigt die allegorische Auslegung dazu, alle historischen Unterschiede zu verwischen. Northrop Frye schreibt: »Der Garten Eden, das Gelobte Land, Jerusalem und Zion sind austauschbare Synonyme für die Heimat der Seele, und in der christlichen Metaphorik sind sie alle identisch ... mit dem von Jesus verkündeten Reich GOTTES.«[21] Wenn wir uns an die Exodus-Geschichte halten, so sind sie natürlich keineswegs identisch, denn (um nur die beiden ersten Beispiele zu betrachten) Eden ist ein mythischer Garten, während das Gelobte Land eine geographische Länge und Breite hat; Eden steht am Beginn und dann, im messianischen Gedankengut, ganz am Ende der menschlichen Geschichte, während das Gelobte Land einen festen Platz inmitten der Geschichte hat; Eden repräsentiert die Vollkommenheit der Natur und des menschlichen Wesens, während das Gelobte Land einfach nur eine bessere Gegend ist als Ägypten.

Mithin leitet sich der Messianismus vom Exodus ab, aber die beiden bleiben radikal voneinander getrennt. Die messianische Verheißung ist nicht nur bedingungslos, wie Saadja Gaon vorbrachte, sondern ihr Inhalt ist auch völlig neu. Befreit von der spezifischen Opposition Ägypten gegenüber, entwickelt man statt dessen das Bild »des neuen Himmels und der neuen Erde« – diesmal in totalem Gegensatz zu dieser Welt, zu diesem Leben. Es sind nicht die schwere Knechtschaft, sondern tägliche Sorgen, nicht die »bösen Krankheiten« Ägyptens, sondern die Krankheit selbst, die entschwinden werde, wenn der Messias kommt. Die Geschichte wird aufhören – ein Gedanke, der den Exodus-Texten völlig fremd ist, denn sie scheinen geradezu auf die Lehre angelegt, daß die Verheißungen sich nie endgültig erfüllen, daß Rückfälle und

Kämpfe ewige Züge der menschlichen Existenz sein werden.[22] Und selbst wenn die Verheißungen erfüllt würden, wäre das Ergebnis immer noch eine heilige Gemeinde, die in der historischen Zeit lebt, deren Bürger das Land bestellen, auf Regen warten, nach äußeren Feinden Ausschau halten, den siebten Tag und das siebte Jahr und das Halljahr feiern. Das Ende der Tage ist eine neue Idee.

Ich werde mich nicht sehr ausführlich mit den Letzten Tagen beschäftigen. Laut jüdischen wie christlichen apokalyptischen Schriften werden ihnen schreckliche Katastrophen vorausgehen: Verfolgungen, Kriege, Überschwemmungen und Erdbeben – große »Erschütterungen« der Königreiche der Welt und der Welt selbst. Die Aussicht auf die Tage vor den Letzten Tagen ist so erschreckend, daß im Talmud eine Redensart über den Messias verzeichnet ist, die drei verschiedenen Rabbis aus dem 3. und 4. Jahrhundert zugeschrieben wird: »Mag er kommen, aber ich will ihn nicht sehen.«[23] Die lebhaften Schilderungen von Umbruch und Zerstörung spielen später eine bedeutende Rolle in der Politik des mittelalterlichen Chiliasmus. Ich wage sogar zu behaupten, daß die Apokalypse für den chiliastischen Radikalismus die gleiche Funktion hat wie der Exodus für die revolutionäre Politik. Taboriten, Wiedertäufer, Ranters – die Gruppen, die in Norman Cohns Buch *Pursuit of the Millenium* vorkommen – lassen sich von einer Literatur inspirieren, welcher der harsche Realismus der Exodus-Geschichte völlig abgeht.[24] Gewiß, es gibt Männer und Frauen, die sich zwischen Exodus und Apokalypse hin und her bewegen, aber gewöhnlich sind die Grenzen klar gezogen. Auf Milch und Honig oder sogar auf Heiligkeit zu hoffen ist eine Sache, aber es ist eine ganz andere, wenn man »das Ende erzwingen« will (nach dem Scheitern des Bar-Kochbar-Aufstandes befahlen die Rabbis den Juden, so etwas nie wieder zu versuchen), um die Menschheit plötzlich und mit Gewalt in das messianische Zeitalter, das neue Jerusalem, das Paradies selbst zu befördern.

Denn es ist das Paradies, nicht das Gelobte Land, Eden, nicht Kanaan, das am anderen Ende der »vorletzten« Tage liegt. Hier ist eine Beschreibung aus dem altsyrischen Buch Baruch, einem der apokryphen oder metaapokryphen Bücher (es wurde aus den christlichen Apokryphen ausgeschlossen), die aus dem ersten Jahrhundert stammen, sich jedoch stark auf Jesaja stützen:

> Und dann soll Heilung im Tau
> herabkommen,
> Und Krankheit soll sich entfernen,
> Und Angst und Sorge und Klage
> unter den Menschen dahinschwinden,
> Und Freude die ganze Erde durch-
> ziehen;
> Und niemand soll je wieder unzeitig
> sterben,
> Noch soll irgendein Mißgeschick plötzlich
> widerfahren.
> ...
> Und wilde Tiere sollen aus dem Wald
> kommen und den Menschen dienen,
> Und Nattern und Vipern sollen kommen
> aus ihren Löchern, sich
> einem kleinen Kind zu fügen;
> Und Frauen sollen nicht länger Schmerz leiden,
> wenn sie ein Kind tragen,
> Noch sollen sie Qual verspüren, wenn
> sie die Frucht des Leibes hervor-
> bringen.[25]

Und so weiter. Ich lasse andere wunderbare Dinge aus – nicht, weil es mir an Wertschätzung mangelte. Dies sind Verheißungen, die alle in Ägypten oder in der Wüste ausgesprochenen übertreffen. Aber sie fordern zu nichts auf, was dem dauernden menschlichen Bemühen in der Exodus-Geschichte gliche: dazu, durch die Wüste zu ziehen, das Gesetz zu lehren, zu lernen und ihm zu gehorchen. Der messianische Radikalismus verlangte von seinen fanatischen Anhängern manchmal, daß sie an den Erschütterungen der politischen Königreiche teilnahmen sowie Verderbtheit, wo immer sie sie fanden, entwurzelten und vernichteten. Danach brauchten sie allerdings nur noch auf die göttliche Verwandlung der ruinierten Welt zu warten. Der Exodus sah ein ganz anderes Programm vor.

VI

Bei Juden wie Christen gab es starken Widerstand gegen die messianische Politik; dieser Widerstand nahm auf typische Weise unterschiedliche Gestalt an. Christliche Autoren neigten dazu, die Letzten Tage zu vergeistigen und die Erlösung als einen Zustand der Seele, nicht der Welt, zu beschreiben. Juden neigten dazu, zum Exodus (oder zu irgendeiner Verbindung von Exodus-Denken und davidischer Ideologie) zurückzukehren. Für sie behielt die Erlösung stets – wie auch heute noch – ihren politischen Charakter.[26] Deshalb könnte man von christlichen Revolutionären, etwa den englischen Puritanern oder den heutigen Befreiungstheologen, zu Recht sagen, sie hingen dem Judaismus an, denn sie verteidigen die »Fleischlichkeit« der Verheißung und sie erstreben ein weltliches Königreich. Die vorherrschende jüdische Meinung (wiewohl ich die Kraft des populären apokalyptischen Denkens nicht anzweifle) wird im 3. Jahrhundert von dem babylonischen Lehrer Samuel vorgetragen; in rabbinischen Schriften wiederholt man seine Aussage sehr häufig: »Es gibt keinen Unterschied zwischen dieser Welt und den Tagen des Messias, abgesehen von unserer Knechtschaft unter den heidnischen Königreichen.«[27] Wie Gershom Scholem unterstrichen hat, ist dies eine polemische Bemerkung, gerichtet an alle jene Lehrer und Schriftsteller, die eine Rückkehr nach Eden erhoffen. Es kann nur eine Rückkehr nach Kanaan geben; die messianische Erlösung wiederholt die mosaische Erlösung; sie ist eine Befreiung von der Knechtschaft. Nachmanides, der im 13. Jahrhundert schrieb, schilderte diese Befreiung als eine buchstäbliche Wiederholung des Exodus: »Der Messias ... wird (nach Rom) kommen und den Papst und allen Königen der Völker im Namen GOTTES gebieten: ›Laßt mein Volk gehen, auf daß es Mir diene.‹«[28]

Die größten jüdischen Philosophen des Mittelalters argumentierten auf sehr ähnliche Art. Laut Maimonides wird der Messias eine menschliche und historische Gestalt werden, genau wie Moses und David, und die Welt, in die er kommt, wird »ihren gewohnten

Lauf fortsetzen«. Jesajas Weissagung von den Wölfen und Lämmern, wiederaufgenommen von Baruch und vielen anderen apokalyptischen Autoren, sei »eine Parabel und Allegorie, die so zu verstehen ist, daß Israel sicher unter den ... heidnischen Völkern leben wird«. Maimonides bietet darauf ein Bild des messianischen Zeitalters an, das als Teil einer rabbinischen Weiterentwicklung der Exodus-Verheißungen begriffen werden kann – und vielleicht deshalb als eine recht bescheidene, wenn auch ebenfalls liebliche Zukunftsvision:

> Die Weisen und Propheten sehnten sich nach den Tagen des Messias – nicht, um die Welt zu beherrschen, und nicht, um die Heiden unter ihre Kontrolle zu bringen, nicht, um von den Völkern gepriesen zu werden, und nicht einmal, um zu essen, zu trinken und zu jubeln. Sie wünschten sich nur, Zeit für die Thora und deren Weisheit zu haben, ohne von irgend jemandem bedrückt oder gestört zu werden. In jenem Zeitalter ... wird sich die ganze Welt ... mit dem Wissen GOTTES beschäftigen ... (und) die Kinder Israel werden sehr weise Menschen sein; sie werden verborgene Dinge wissen und ein Verständnis ihres Schöpfers erreichen, das an die Grenze des menschlichen Vermögens geht.[29]

Das priesterliche Königreich wird hier von einem Königreich der Rabbis – der Weisen und Gelehrten – ersetzt, und die Beteiligung des einzelnen besteht im Studium. Die Vision ist entschieden antiapokalyptisch; »die Grenze des menschlichen Vermögens« schränkt unsere Erwartung ein; unser Verständnis Gottes wird weder rein sein noch vollkommen. Gleichzeitig muß ich betonen, daß dies nicht einfach eine Weiterentwicklung der Exodus-Verheißungen ist; es handelt sich auch um eine Vergrößerung, eine Erhöhung. Die Babylonische Gefangenschaft, die Zerstörung der beiden Tempel, die Jahrhunderte des Exils und der Verfolgung haben bewirkt, daß die Verheißungen aus der Exodus-Geschichte höher geworden sind. Maimonides träumt von einer größeren und endgültigen Erlösung.

Nichtsdestoweniger bleibt sein Messianismus beklommen. Einer seiner Anhänger meinte, daß der Messias unnötig sei, wenn nur alle

Juden bereits Weise und Gelehrte sein könnten. Rabbi Isaak ben Jedajah schrieb: »Wären doch nur alle Menschen von GOTTES Volk Propheten, weise genug, ihren Schöpfer zu kennen, auf daß sie keinen anderen König brauchten als unseren GOTT, den König der Könige.«[30] Dies entspricht auch Mosis Wunsch und zeigt, daß der Messias, wie die levitische Priesterschaft, zumindest für einige der Rabbis ein notwendiges Übel war, dessen Rolle eher von dem moralischen oder geistigen Rückfall des Volkes als von GOTTES ursprünglichem Plan bestimmt war. Ohne messianische Führung werde Israel das Gelobte Land niemals erreichen. Einmal dort angelangt, wird das Volk zur Geltung kommen; seine Angehörigen werden Priester und Propheten oder Weise und Gelehrte sein (in weltlichen Versionen republikanische Bürger), und man wird keinen Bedarf mehr an fürstlicher Macht haben.

Aber das heißt, das Volk wird zur Geltung kommen, alle werden Weise sein und keinen König benötigen, wenn sie *wirklich* dort sind. Denn als das Volk vor der ursprünglichen Befreiung dort war, beteuerte es, einen König zu benötigen. Es wandte sich an Samuel – der Vorfall wird in der politischen Theorie des Königtums häufig erörtert – und bat im Grunde um einen israelitischen Pharao, der als Richter fungieren und es in die Schlacht führen solle; es wollte sein »wie alle Völker«. Samuel beklagte sich bei GOTT, der ihm befahl, dem Volk zu geben, was es sich wünsche, »denn sie haben nicht dich, sondern mich verworfen, daß ich nicht soll König über sie sein« (1. *Sam.* 8,5,7). Dann fand Samuel einen König für das Volk, genau wie Aaron ein Götzenbild für das Volk gebaut hatte. Dies sind die beiden großen Ablehnungen des »priesterlichen Königreichs und des heiligen Volkes«, und beide werden von GOTTES auserwähltem Diener unterstützt – vielleicht ein Zeichen dafür, daß das Königreich auf den Willen des Volkes warten muß. GOTT besteht auf Seinem himmlischen, nicht jedoch auf Seinem irdischen Königtum (wäre ER ein Tyrann, wenn ER das Volk ohne dessen Einverständnis beherrschte?). Die meisten Rabbis sind sich einig, daß ER den Messias nicht entsenden werde, bis das Volk bereit sei, ihn zu empfangen. Aber wenn es bereit ist, dann wird es, wie man argumentieren könnte, keinen Messias mehr benötigen.

Dies sind komplizierte Überlegungen, und die Rabbis drehen sie immer wieder hin und her, wie auch ich es getan habe. Aber ich möchte jetzt aus dem Kreis hinaustreten und zu meinem politischen Thema zurückkehren. Die Regierung des Gelobten Landes soll aus einem Königtum ohne einen menschlichen König bestehen. Dies ist eine stets wiederkehrende revolutionäre Vision, und obwohl sie oft verraten wird, ist sie dennoch wichtig. Die politische Führung in der neuen Gesellschaft ist im Prinzip befristet, charismatisch, vom allgemeinen Konsens getragen. Es gibt keine herausragende Führergestalt und kein Führergeschlecht. Diese entscheidende Idee ist tief im biblischen Text verankert – so tief, daß es den Herausgebern und Redakteuren, die am Hofe Davids und Salomons arbeiteten, nie gelang, sie zu beseitigen. Man nehme zum Beispiel des letzte Kapitel des *Deuteronomium,* wo GOTT Moses das Gelobte Land zeigt und ihm gleichzeitig mitteilt, daß er es nie betreten werde. Moses stirbt jenseits des Jordans; GOTT bestattet ihn in einem Tal im Lande der Moabiter, »und niemand hat sein Grab erfahren bis auf den heutigen Tag« (*Deut.,* 34,6). Die biblischen Sätze sind in den Midraschim endlos weiterentwickelt worden,[31] aber ich möchte mich auf den Text selbst konzentrieren, denn wir dürfen annehmen, daß hier der Gegensatz zwischen Moses und seinem großen Antagonisten, dem ägyptischen Pharao, hervorgehoben werden soll, dessen Begräbnisstätte von Menschen geschaffen, reich und prächtig und weithin bekannt ist. Moses ist kein König. Er ist kein König wie der Pharao; er ist kein königlicher Messias, und er ist kein Vater von Königen oder messianischen Führern. Die Bibel verrät uns fast gar nichts über Mosis Erben und Nachkommen; es gibt nur eine einzige fragmentarische Anspielung auf einen Enkel, der ein niederer Priester in einem örtlichen Tempel im Lande der Daniter gewesen zu sein scheint (*Richter* 18,30).[32]

Mosis beschränkte Rolle wird in späteren Interpretationen und Anwendungen des Exodus häufig betont, bisweilen in Verbindung mit einer Interpretation von *Exodus* 18, dem ersten Verfassungstext in der Geschichte, wo Jethro Moses dringend rät, sich mit aus dem Volk gewählten Führern zu umgeben; und in Verbindung mit einer Interpretation von *Numeri* 11, dem zweiten Verfassungstext, wo GOTT die Gründung eines Rates von siebzig Ältesten anordnet. In *Exodus* 18 sagt Jethro zu Moses: »Das Geschäft ist dir zu schwer; du kannst's allein nicht ausrichten.« Und dann schlägt er vor, »redliche Leute« zu wählen und über das Volk zu setzen: »etliche über tausend, über hundert, über fünfzig und über zehn« (*Exodus,* 18,18,21). Raschi stellte dazu Berechnungen an: Wenn unter den Israeliten 600 000 erwachsene Männer gewesen wären, hätten sie 82 600 »Herrscher« gehabt.[33] Rund fünfzehn Prozent der Männer hätten zu jenem Zeitpunkt über andere geherrscht. In *Numeri* 11 wiederholt Moses Jethros Worte: »... denn es ist mir zu schwer.« Vielleicht hatten die 82 600 ihre Funktionen noch nicht übernommen, obwohl wir in früheren Passagen erfahren, daß Moses den Rat Jethros akzeptiert habe. Im Text findet man Zeichen für eine gewisse Spannung zwischen der neuen Führung und den Stammesältesten – was in einer Zeit des politischen Umbruchs zu erwarten ist.[34] In den Jahren der Englischen Revolution wurden mehrere Verfassungspläne vorgeschlagen, die auf dem Prinzip der »10 und der 50« beruhten; sie hätten jedoch die politische Beteiligung stark ausgeweitet und waren deshalb für die Gentlemen und Juristen des Parlaments nicht akzeptabel.[35] Jedenfalls war die Botschaft des biblischen Textes folgende: Der charismatische Führer reicht nicht aus; die traditionalistische Struktur der Stämme ist den neuen Gesetzen nicht angemessen; also muß in der Wüste ein neues Regierungssystem entwickelt werden – eine Regierung für die Wüste und auch für das Gelobte Land.

Was für eine Regierung ist es? Spinoza, der wahrscheinlich die beste Analyse der Verfassungstexte liefert, führte aus, daß das israelitische Regime eine theokratische Republik sei.[36] So wurde es auch in der radikalen und revolutionären Literatur begriffen, wobei der Nachdruck häufiger auf dem Republikanismus als auf der Theokratie lag. Sogar Tom Paine spricht sich in seiner Schrift

Common Sense aus biblischen wie aus praktischen Gründen gegen die Monarchie aus, wobei er die frühe Geschichte Israels ausführlich behandelt. »Der ALLMÄCHTIGE hat hier seinen Protest gegen die monarchische Regierung verzeichnet ...«[37] (Paine wendet sich gegen das Prinzip der Erblichkeit und verzichtet auf jede Erwähnung der Leviten.) Für amerikanische Geistliche waren die Exodus-Texte sogar von noch größerer Bedeutung. 1779 beteuerte James Dana in einer Predigt in Hartford, die Kinder Israels seien vor allem angewiesen worden, »sich an das offenkundige Eingreifen des Allmächtigen zu erinnern, der Tyrannen ihretwegen demütigte«. Das Regierungssystem Israels sei das »einer Bundesrepublik, mit JEHOVA an der Spitze« gewesen.[38] Samuel Langdon, der im Jahre 1788 vor der Generalversammlung von New Hampshire auf Ratifizierung der neuen Verfassung drängte, beschrieb Israel einfach als Republik, und zwar eine, die erstaunliche Ähnlichkeit mit dem Regime habe, das von Madison und Hamilton gegen die frühere Konföderation verteidigt worden war: Israel sei »ein Beispiel für die amerikanischen Staaten«.[39]

Ich will nicht versuchen, einen Kommentar zu diesen verblüffenden Argumenten abzugeben. Welche exakte Gestalt das Exodus-Regime auch gehabt haben mochte, es war unzweifelhaft antimonarchisch, und das ist der entscheidende Punkt. Josua macht dies auf dramatische Weise deutlich, als er die bei der Eroberung erbeuteten Wagen verbrennt und »die Rosse lähmt« (*Jos.*, 11,9). Denn Pferde und Wagen sind, wie ich bereits ausgeführt habe, sowohl die Instrumente als auch die Symbole von königlicher Macht und Tyrannenherrschaft. Einer von Josuas Nachfolgern, der Richter und Krieger Gideon, faßt die politische Argumentation des Exodus zusammen, als er auf den Vorschlag, sich selbst zum König zu machen, antwortet: »Ich will nicht Herr sein über euch, und mein Sohn soll auch nicht Herr über euch sein, sondern der HERR soll Herr über euch sein« (*Richter*, 8,23) Gideon ist der ferne Vorfahr – vielleicht nicht so fern – Cromwells und Washingtons. Er steht für eine Politik, die sich in das Erlebnis der Befreiung einfügt und sich natürlich aus ihm ergibt; er spielt wiederum auf den revolutionären Charakter jener Erfahrung an. Sie stellt die Legitimität dynastischer Macht in Frage. Allerdings schwächt sich die Opposition gegen das Königtum in Israel nach der Herrschaft Davids ab; sie ist nur noch eine Unterströmung, wenn auch zuweilen eine kraftvolle Unterströmung, in den prophetischen Büchern. Zum Beispiel stellt Hosea eine Verbindung zwischen Königen und Götzen her, als er den Untergang des Nordreiches erklärt:

> Sie machen Könige, aber ohne mich; sie setzen Fürsten, und ich darf es nicht wissen. Aus ihrem Silber und Gold machen sie Götzen, daß sie ja bald ausgerottet werden. (*Hosea,* 8,4)

Und Jesaja beruft sich noch unverhohlener auf die radikale Haltung des Exodus: »Weh denen, die hinabziehen nach Ägypten um Hilfe und verlassen sich auf Rosse und hoffen auf Wagen ...« (*Jes.,* 31,1) Israel solle sich auf den HERRN verlassen. Aber das heißt auch, daß es sich auf sich selbst verlassen solle, auf seine Natur als heiliges Volk, derentwegen es ursprünglich befreit worden war. Dieser Meinung nach verkörpert der Messias selbst eine Niederlage der Exodus-Politik. Wenn das Volk sich keinen Hauptmann – hier: einen König – für die Rückkehr nach Ägypten gewählt hätte, wäre der Messias überflüssig. Und selbst jetzt würde er, wenn er käme, nicht mehr tun, als die ursprünglichen Verheißungen zu erfüllen. Er wird nicht das Gesetz oder das Studium und die Lehre des Gesetzes oder die Regierung von Richtern und »Amtsleuten« gemäß dem Gesetz abschaffen. Er wird bloß das begründen, was das Volk einst selbst hätte begründen können.

Innerhalb des nachbiblischen Judaismus ist die gerade dargelegte Doktrin eine konservative Lehre, welche sich gegen den radikalen Utopismus und die Gesetzesfeindschaft der populären apokalyptischen Schriften und Prophezeiungen wendet.[40] Sie diente dazu, die Autorität der Rabbis in den kleinen, mehr oder weniger autonomen jüdischen Gemeinden der Diaspora zu stärken. Sie bot keine Stütze für eine Neuerungspolitik – jedenfalls nicht bis zum Erscheinen des Zionismus, der sich manchmal als Rückkehr zur Exodus-Geschichte und manchmal als eine Art politischen Messianismus darstellte. Ohnehin war in der gefährdeten Welt des mittelalterlichen Judentums kaum Platz für eine Neuerungspolitik, und es gab keine Möglichkeit, von der Unterdrückung befreit zu werden, es sei denn durch einen königlichen Messias. Es waren christliche – und später weltliche – Städte und Staaten, in denen das radikale Potential des Exodus verwirklicht wurde. Die Geschichte bot ihren Lesern eine Alternative zur Apokalypse, einen erzählerischen Rahmen, in dem man über Unterdrückung und Befreiung in diesseitigen Begriffen nachdenken konnte. Sie ließ vermuten – und läßt es auch heute noch –, daß es einen großen Tag geben könnte, der nicht der Jüngste Tag ist.

Schluß

EXODUS-POLITIK

I

Seit dem späten Mittelalter oder der frühen Neuzeit gibt es im Westen eine charakteristische Methode, über politischen Wandel nachzudenken – ein Muster, das wir den Ereignissen in der Regel auferlegen, eine Geschichte, die wir einander weitererzählen. Die Geschichte sieht etwa folgendermaßen aus: Unterdrückung, Befreiung, Gesellschaftsvertrag, politischer Kampf, neue Gesellschaft (Gefahr der Restauration). Wir nennen den gesamten Prozeß *revolutionär*, obwohl die Ereignisse keinen Kreis beschreiben, wenn die Unterdrückung am Ende nicht von neuem erscheint; den Ereignissen wird eine starke Vorwärtsbewegung verliehen.

Dies ist keine Geschichte, die überall erzählt wird; sie stellt kein universelles Muster dar, sondern sie gehört dem Westen, insbesondere Juden und Christen im Westen, und ihre Quelle, ihre ursprüngliche Version, ist der Exodus Israels aus Ägypten. Meine Zielsetzung in diesem Buch besteht darin, die Geschichte in ihrer ursprünglichen Fassung nachzuerzählen, eine Interpretation des Exodus zu geben, die seine politische Bedeutung erfaßt; und dann über den allgemeinen Charakter und die inneren Spannungen der Exodus-Politik nachzudenken. Dies ist natürlich nicht die einzige Methode, mit der man sich dem biblischen Bericht nähern kann. Es ist eine Interpretation, und wie alle Interpretationen hebt sie einige Züge des Berichts hervor und vernachlässigt oder unterschlägt andere. Aber ich lese das Buch *Exodus* nicht auf eine nur mir eigene Weise: In meiner Lektüre folge ich einer ausgetretenen Spur, wenn ich von Zitat und Kommentar zum Originaltext zurückkehre, von Nachempfindungen zu Taten oder wenigstens zu Geschichten von Taten. Der Exodus mag oder mag nicht das gewesen sein, wofür viele seiner Kommentatoren ihn hielten: die erste Revolution. Aber das Buch *Exodus* (zusammen mit dem Buch *Numeri*) ist unzweifelhaft die erste Beschreibung revolutionärer Politik.

Der Exodus – oder die spätere Interpretation des Exodus – legt das Muster fest. Und dadurch, daß die Bibel im westlichen Gedankengut eine zentrale Rolle spielt und die Geschichte endlos wiederholt wurde, hat sich das Muster tief in unsere politische Kultur eingegraben. Nicht genug damit, daß Ereignisse sich fast spontan in eine Exodus-Gestalt fügen, sondern wir tragen auch aktiv dazu bei, ihnen diese Gestalt zu verleihen. Wir klagen über Unterdrükkung; wir hoffen (gegen jede historische Erfahrung der Menschheit) auf Befreiung; wir schließen uns in Bünden und Verfassungen zusammen; wir streben nach einer neuen und besseren Gesellschaftsordnung. Das Exodus-Denken scheint, wenn auch in abgeschwächter Form, die Säkularisierung der politischen Theorie überlebt zu haben. Deshalb kleideten utopische Sozialisten, die der Religion gegenüber meist entschieden feindselig eingestellt waren, ihre Argumente weiterhin in vertraute Begriffe, wenn sie über die Probleme der »Übergangsperiode« sprachen: Die vierzig Jahre in der Wüste, schreiben die Manuels in ihrem Kapitel über Robert Owen, seien »eine tiefe ... kulturelle Erinnerung, und der Tod der alten Generation (sei) eine archetypische Lösung«.[1] (Er war sogar eine Lösung für »wissenschaftliche« Sozialisten wie Marx oder, in diesem Jahrhundert, Lincoln Steffens.) So etwas ist niemals lediglich eine Frage rhetorischer Bequemlichkeit. Kulturelle Muster gestalten auch die Fähigkeit zur Wahrnehmung und formen unsere theoretischen Analysen. Natürlich würden sie sich nicht lange halten können, wenn sie nicht auf eine Reihe von Wahrnehmungen und Analysen paßten, wenn es nicht möglich wäre, innerhalb der von ihnen bereitgestellten Strukturen Auseinandersetzungen zu führen. Ich habe nicht vor, eine essentialistische Einstellung zur Revolution oder zur radikalen Politik im allgemeinen zu verteidigen. Im Rahmen der Exodus-Geschichte kann man überzeugend eingehen auf den mächtigen Arm Gottes oder den langsamen Marsch des Volkes, auf das Land, in dem Milch und Honig fließen, oder auf das heilige Volk, auf die »Säuberung« von Konterrevolutionären oder auf die Schulung der neuen Generation. Man kann die ägyptische Knechtschaft mit den Begriffen von Verderbtheit oder Tyrannei oder Ausbeutung beschreiben. Man kann die Autorität der Leviten oder der Stammesältesten oder der Herrscher über fünfzig und über zehn verteidigen. Ich möchte nur darauf hinweisen, daß diese Alternativen ihrerseits paradigmatisch sind; es sind *unsere* Alternativen. In anderen Kulturen lesen Männer und Frauen andere Bücher, erzählen andere Geschichten, stehen vor anderen Entscheidungen.

Aber wir im Westen haben noch eine zweite Methode, über politischen Wandel zu sprechen, ein zweites Muster, sozusagen den intellektuellen Sprößling des Exodus, der sich jedoch in wesentlichen Punkten von ihm unterscheidet. Das zweite Muster ist, um mit Jacob Talmon zu sprechen, der »politische Messianismus«.[2] Messianismus ist die große Verlockung der westlichen Politik. Seine Quelle und sein Antrieb sind in der offenbaren Endlosigkeit des Exodus-Marsches zu finden. »Die in die Länge gezogene Erzählung des menschlichen Fortschritts wird von Irrtum und Katastrophe überschattet«, schrieb der junge Ramsay MacDonald in einem Buch mit dem Titel *The Socialist Movement,* »von beschwerlichem Reisen durch die Wüste, von Ländern Kanaan, in denen, als sie noch jenseits des Jordans lagen, Milch und Honig flossen, die sich aber nach ihrer Eroberung als nahezu unfruchtbar erwiesen ...«[3] MacDonald bekannte damals, er selbst fühle sich verpflichtet, den Marsch fortzusetzen, aber man könnte durchaus beschließen, ihn aufzugeben (was er letzten Endes tat) – oder als Alternative dazu, sich einer weit radikaleren Hoffnung verschreiben. Warum soll man sich mit dem schwierigen und vielleicht nie endenden Kampf für Heiligkeit und Gerechtigkeit bescheiden, wenn es ein anderes Gelobtes Land gibt, in dem die Befreiung endgültig, die Erfüllung vollkommen ist? Die Geschichte selbst ist eine Last, der zu entkommen wir uns ersehnen, und der Messianismus garantiert dieses Entkommen: eine Errettung nicht nur aus Ägypten, sondern auch aus Sinai und Kanaan.

Es mag seltsam scheinen, wenn solch eine Rettung ausgerechnet von der Politik erwartet wird – sogar von revolutionärer Politik und apokalyptischen Kriegen. Die theologischen oder philosophischen Argumente, mit denen die Erwartung verteidigt wird, sind stets komplex. Sie beschwören die göttliche Zielsetzung oder den schicksalhaften Lauf der Geschichte zusammen mit diesem oder jenem politischen Programm herauf, genau wie das Buch *Exodus* es tut. Worauf es in diesem Zusammenhang jedoch ankommt, ist die Tatsache, daß das messianische Programm sich sehr stark von dem unterscheidet, das Moses in der Wüste und am Berg Sinai übernahm.

II

In der jüdischen Geschichte ist dieser Unterschied etwas gedämpft, weil der Messianismus selbst die Form des Exodus annimmt: In den Letzten Tagen werden die Juden die Länder ihrer Verbannung verlassen und in ein irdisches Zion zurückkehren. Daher sind Exodus-Politik und politischer Messianismus radikal mit dem zionistischen Gedankengut verknüpft. Die Verknüpfung wird recht hübsch durch einen Traum symbolisiert, den Theodor Herzl am Ende seines Lebens einem Freund erzählte: Er sei zwölf Jahre alt gewesen und habe geträumt, daß der »Königs-Messias« erschien und

> mich in die Arme nahm und mich auf himmlischen Schwingen davontrug. Auf einer der schillernden Wolken trafen wir ... Moses. (Seine Züge ähnelten denen von Michelangelos Statue. Als Kind liebte ich ... dieses Marmorbildnis.) Der Messias rief Moses zu: »Für dieses Kind habe ich gebetet!« Zu mir sagte er: »Gehe und verkünde den Juden, daß ich bald kommen und große und wunderbare Taten für mein Volk und für die ganze Menschheit vollbringen werde.«[4]

Es ist der Prophet Moses, nicht David der König, der sich im Hintergrund dieser messianischen Vision aufhält und den Charakter der kommenden Taten vermuten läßt. Wenn Herzl, ein weltgewandter Mann und ein der säkularen Kultur ganz und gar angepaßter Jude, sich an Träume dieser Art erinnerte, dürfen wir annehmen, daß sie bei den orthodoxen Massen der osteuropäischen Juden eine noch größere Rolle spielten. Der Zionismus stützte sich unzweifelhaft auf messianischen Glauben und messianische Energie, obwohl die für ihn benötigte politische Aktivität prosaisch, monoton und immer wieder frustrierend war. Aber die Exodus-Parallele lag näher. Die Opposition, auf die Herzl stieß, sowie die offenkundige Weigerung der meisten Juden, ihr Heim im Exil zu verlassen und ins Gelobte Land aufzubrechen, erinnerten eher an Mosis vertraute Schwierigkeiten als an die vorausgesagten Triumphe des Messias. Es war kein Zufall, daß Moses in Herzls Traum ein Gesicht, der Messias hingegen nur einen Titel und eine Aura hatte.

Die Exodus-Parallele blieb dem eindrucksvollsten der zionistischen Denker, Ahad Ha-Am (»Einer aus dem Volke«, der *nom de plume* von Asher Ginzberg), nicht verborgen. Er veröffentlichte im Jahre 1904 einen Essay über Moses. Es ist eine imponierende Arbeit, und sie beschreibt einen Führer, der zunächst meinte, daß die Befreiung unmittelbar bevorstehe und vollständig sein werde, der dann aber in der Wüste erfuhr, daß sie einen langen und schweren Kampf erfordern werde. Ahad Ha-Am nimmt die Worte des Maimonides wieder auf: »Ein Volk, das Generationen lang im Haus der Knechtschaft ausgebildet wurde, kann die Wirkung dieser Ausbildung nicht in einem einzigen Augenblick abwerfen und wahrhaft frei werden ...« Und er läßt Moses den Schluß ziehen, den er selbst in Zusammenhang mit seinen eigenen Zeitgenossen zog:

> Er glaubt nicht mehr an eine plötzliche Revolution; er weiß, daß Gottes Zeichen und Wunder und Visionen eine kurzfristige Begeisterung wecken, nicht aber ein neues Herz schaffen, Gefühle und Neigungen mit irgendeiner Beständigkeit oder Permanenz entwurzeln und neu anpflanzen können. Deshalb richtete er all seine Geduld auf die Aufgabe, die lästige Bürde seines Volkes zu tragen und es Schritt um Schritt zu unterrichten, bis es für seine Mission tauglich sei.[5]

Wir können diese Haltung als »Exodus-Zionismus« bezeichnen

und sie dem messianischen Zionismus entgegenstellen, der zuerst in den zwanziger Jahren unseres Jahrhunderts in Palästina politische Gestalt annahm. Im Kontext der jüdischen Geschichte – und besonders der Geschichte der jüdischen Diaspora – zog der Exodus-Zionismus das nach sich, was der Romanautor A. B. Yehoshua »einen Akt des Verzichts« nannte, des »Verzichts auf Messianismus, religiöse Erlösung und die Version vom Ende der Zeiten«.[6] Dieser Verzicht fiel den Männern und Frauen der Linken am leichtesten, die sich einer säkularen und sozialistischen Version der biblischen Verheißung verpflichtet wußten. Einige Sozialisten, wie David Ben-Gurion, machten sich weiterhin messianische Hoffnungen, doch diese waren stärker in den prophetischen Büchern als im apokalyptischen Schrifttum verwurzelt.

Der messianische Zionismus war überwiegend eine Schöpfung der Rechten, der sogenannten Revisionisten, und er ist im heutigen Israel eine ausschließlich rechte Weltanschauung. Gleichwohl hat er mit einer gewissen Art radikaler Politik die wichtigsten Merkmale gemein. Das erste ist eine außerordentliche Empfänglichkeit für apokalyptische Ereignisse, wenn nicht sogar eine Sehnsucht nach ihnen. Gewiß, das zwanzigste Jahrhundert ist mehr als entgegenkommend gewesen: Hat es je eine Zeit gegeben, die den »vorletzten« Tagen ähnlicher gewesen wäre als die dreißiger und vierziger Jahre? Der Aufstieg des Nationalsozialismus, der Zweite Weltkrieg und die Vernichtung des europäischen Judentums brachten die verzweifelte Hoffnung und dann, bei einigen intellektuellen Streitern in Palästina, die verzweifelte Gewißheit hervor, daß ein großer Umbruch, eine totale Umkehr bevorstünden. Aber dies werde eine zweite und örtlich stärker begrenzte Apokalypse erfordern. Vor der europäischen Vernichtung gerettet, beanspruchten diese Streiter eine eigene Vernichtung, als stimmten sie mit einem Talmud-Sprichwort über die »messianische Mühe« überein: »Krieg ist der Beginn der Erlösung.«[7] (Aber das gleiche gilt für Hungersnöte, Familienzwistigkeiten, den Zusammenbruch von Schulen und Akademien, wobei keiner dieser Fälle programmatisch gemeint ist.) Die extremsten Revisionisten, die Mitglieder

der Stern-Bande, »stellten sich den Endkampf gegen die Briten als eine apokalyptische Katharsis vor, von der sie nichts als den Tod erwarten konnten«.[8] »Wenn der letzte britische Soldat das Land verlassen hat«, schrieb einer von ihnen, »werden messianische Zeiten anbrechen.«[9]

Das zweite Merkmal des politischen Messianismus ist die Bereitschaft, »das Ende der Zeiten zu erzwingen« – was nicht bloß bedeutet, daß man politisch handeln (statt auf GOTTES mächtige Hand zu warten), sondern daß man für letzte und höchste Ziele politisch handeln müsse. Männer und Frauen, die das Ende der Zeiten erzwingen wollen, nehmen die Erlösung in die eigenen Hände, und sie wollen sich selbst und uns alle nicht von irgendeinem spezifischen Übel, sondern von dem Übel im allgemeinen erlösen. Sie beanspruchen für ihre Politik göttliche Autorität und weisen im Grunde die Anforderungen sowohl von Moral wie von Besonnenheit zurück. Wenn die Einsätze so hoch sind, wird es unplausibel, noch irgendeine Art von Zurückhaltung zu verlangen. Selbst die Gewalt wird geheiligt, wenn man sie dazu benutzt, das Ende der Zeiten herbeizuführen, und deshalb kann man sie ohne Schuldgefühle einsetzen. Auf der extremen Rechten der israelischen Politik waren in den siebziger und achtziger Jahren Stimmen zu hören, die einen nahezu ekstatischen Messianismus verkündeten – die Ekstase wurde von jedem neuen Nahostkrieg erhöht, denn waren dies nicht die Kriege gegen Gog und Magog, die das Zeitalter der Herrlichkeit einleiteten? GOTT selbst steht oder fällt gleichsam mit dem Armeen Israels: »Der Sieg Israels ... ist der Sieg der göttlichen Idee, und Israels Niederlage ist die Niederlage jener Idee.«[10]

In der Exodus-Geschichte wird eine militärische Niederlage nie so dargestellt; sie ist kein Verlust GOTTES, sondern ein Scheitern Israels; ihre Ursache liegt in Verderbtheit und Unterdrückung, und sie dient dazu, die Israeliten an die Bedingtheit der Verheißungen zu erinnern. Aber das dritte Merkmal des politischen Messianismus ist der Anspruch auf Bedingungslosigkeit. Unter rechtsgerichteten Zionisten wird der Bund laut Ernst Simon, einem ihrer religiösen Kritiker, »als eine Bill of Rights interpretiert, die im Grunde nichts mit der Befolgung der religiösen Pflichten zu tun hat«.[11] Der Sieg von 1967 stellte religiöse Juden vor eine schwierige Wahl. Sie konnten die neueroberten Gebiete gegen jede Opposition in Beschlag nehmen und die Eroberung so betrachten, als erfülle sie Gottes Verheißung Abraham gegenüber; oder sie konnten sich des Exodus-Gebots erinnern – »Die Fremdlinge sollt ihr nicht unterdrücken; denn ihr wisset um der Fremdlinge Herz, dieweil ihr auch seid Fremdlinge in Ägyptenland gewesen« (*Exodus*, 23,9) – und sich um einen politischen Kompromiß bemühen. Im Rahmen der Exodus-Politik läßt sich der eine wie der andere Standpunkt vertreten; vieles im Text spricht für eine rücksichtslose Politik, aber ich neige zu der Meinung, daß Simons Eintreten für einen Kompromiß überzeugend ist. In der Welt des politischen Messianismus ist diese Argumentation jedoch ausgeschlossen. Es gibt keine Notwendigkeit, Gebiete aus moralischen Gründen aufzugeben, denn die Moral ist sozusagen auf seiten des Stärkeren – und, wie die Eroberung, durch eine Garantie abgesichert. Der Sechstagekrieg, schreibt ein zeitgenössischer Rabbi, sei ein »erstaunliches göttliches Wunder ... das Ende der Zeiten ist bereits gekommen ... sehet nun, daß *Erez Israel* (das Land Israel) durch Eroberung von Unterdrückung befreit worden ist ... es ist in das Reich der Heiligkeit eingezogen«.[12]

Die stärkste Opposition gegen den politischen Messianismus rechter Zionisten ging von Gershom Scholem aus, dem größten Gelehrten des jüdischen Messianismus:

> Ich bestreite kategorisch, daß der Zionismus eine messianische Bewegung sei ... Die Erlösung des jüdischen Volkes, die ich mir als Zionist wünsche, ist keineswegs identisch mit der religiösen Erlösung, die ich für die Zukunft erhoffe ... Das zionistische Ideal ist die eine Seite und das messianische Ideal die andere; die beiden stimmen nicht überein, es sei denn in der schwülstigen Phraseologie von Massendemonstrationen ...[13]

Der wesentliche Unterschied zwischen beiden bestand für Scholem darin, daß Zionismus bedeutete, innerhalb der Geschichte zu handeln und die Grenzen der historischen Realität zu akzeptieren, während Messianismus eine utopische Ablehnung jener Grenzen repräsentiere. »Wir müssen den Bescheid der Geschichte ohne eine utopische Tarnung akzeptieren. Und dafür muß man natürlich bezahlen. Man begegnet anderen, die ... Interessen und Rechte haben ... (und muß) es schaffen, sich mit ihnen zu einigen.«[14] Scholem nannte sich selbst einen Ahad Ha-Am-Anhänger, was heißt, daß auch er glaubte, der entscheidende Kampf sei der Kampf in der Wüste – ausgedehnt auf das Gelobte Land selbst –, mit dem Ziel, ein freies Volk zu erschaffen und den Bedingungen des Bundes gerecht zu werden. »Wenn der Traum des Zionismus Zahlen und Grenzen betrifft und wir nicht ohne sie existieren können, dann wird der Zionismus scheitern ...«[15] Dies ist die Stimme eines ursprünglichen Propheten, der sich an das Ägypten der Knechtschaft und an die Gefangenschaft erinnert und hofft, daß Kanaan, nun Israel, sich als ein besseres Land erweisen wird.

III

Es gibt einen Moment in der Exodus-Geschichte, der den Radikalismus rechter Zionisten bestätigt oder zu bestätigen scheint und den ich bis jetzt vermieden habe: die Eroberung des Landes. In der Exodus-Politik, wie sie im Laufe der Jahrhunderte interpretiert und weiterentwickelt wurde, spielt die Eroberung nur eine kleine Rolle. Sie kommt in den Schriften einiger amerikanischer Puritaner vor, die den Indianern Neu-Englands gegenüberstehen, und dann wieder bei den südafrikanischen Buren. Aber sie fehlt aus offensichtlichen Gründen in der politischen Befreiungstheorie. Wenn die Übersiedlung von Ägypten nach Kanaan als Metapher für eine Politik der Umgestaltung gesehen wird, dann konzentriert sich die Aufmerksamkeit auf innere, nicht auf äußere Kriege, auf die »Ausfegungen« widerspenstiger Israeliten, nicht auf die Vernichtung der kanaanitischen Völker. Und dieser Tradition der Auslegung bin ich in diesem Buch gefolgt.

Wenn man den Text jedoch wörtlich nimmt, besteht offenkundig keine Spannung zwischen der Rücksicht auf Fremde und der ursprünglichen Eroberung und Besetzung des Landes – denn die Kanaaniter werden ausdrücklich aus der Welt moralischer Rücksichten ausgeschlossen. Den Geboten des *Deuteronomium* zufolge sollen sie alle – Männer, Frauen und Kinder – vertrieben oder getötet und ihre Götzen zerstört werden.

> ... sondern sollt sie verbannen, nämlich die Hethiter, Amoriter, Kanaaniter, Pheresiter, Heviter und Jebusiter, wie dir der HERR, dein GOTT, geboten hat, auf daß sie euch nicht lehren tun alle die Greuel ... (*Deut.*, 20,17-18)

Das ist unverblümt genug, und es spielt kaum eine Rolle, daß die tatsächliche Eroberung Kanaans einen ganz anderen Charakter gehabt zu haben scheint: nämlich eher den einer allmählichen Unterwanderung als einer systematischen Ausrottungskampagne. Worauf es ankommt, ist das Gesetz. Ist es ein Merkmal revolutionärer Geschichte, daß Völker, die gerade befreit wurden und einen Bund abgeschlossen haben, ihre Feinde auf so absolutistische Weise betrachten? Anhänger des politischen Messianismus sehen jede Opposition in der Tat als das Werk Satans, aber Satan tritt in der Exodus-Geschichte nicht auf; die Greuel der Kanaaniter sind ihr eigenes Werk – menschlich, allzumenschlich. Der Kampf um Kanaan gleicht nicht den Kriegen gegen Gog und Magog; vielleicht konnte er deshalb letztlich zu einer groben Übereinkunft führen. Aber GOTT war mit der Übereinkunft unzufrieden (siehe *Richter*, 2,1–3); ER verlangte einen bedingungslosen Krieg gegen Abgötterei und Götzenanbeter. Ich halte es für angebracht, diesen Krieg als eine Weiterentwicklung der Kämpfe in der Wüste zu beschreiben. Revolutionäre Kriege nehmen einen Teil der Brutalität von Bürgerkriegen und politischen Säuberungen an, selbst wenn der Feind nicht satanisch ist und das Ende der Zeiten nicht bevorsteht. Aber die Menschen sind widerwillige Krieger; sie – oder viele von ihnen

– bevorzugen den Frieden. Deshalb sind das göttliche Gebot und das Unvermögen der Israeliten, es zu befolgen, weitere Beispiele für den biblischen Realismus.

Es gibt im Text Zeichen für eine gewisse Besorgnis, was die Eroberungsbefehle betrifft – eine Suche nach Gründen, auf das GOTTES Zorn nicht völlig willkürlich erscheine.[16] Aber Gründe sind eine gefährliche Sache: Wenn die Kanaaniter verdammt wurden, weil sie Götzenanbeter waren – ihrer »Greuel« wegen, wie es in *Levitikus* und *Deuteronomium* heißt –, werden dann die Israeliten, falls sie wieder in die Abgötterei verfallen, nicht genauso behandelt werden? Die biblischen Autoren stellten (wie sie wußten) einen Präzedenzfall her, der eines Tages gegen ihr eigenes Volk eingesetzt werden könnte: »... eben wie die Heiden, die der Herr umbringt vor eurem Angesicht, so werdet ihr auch umkommen, darum daß ihr nicht gehorsam seid der Stimme des Herrn, eures Gottes« (*Deut.* 8,20). Vielleicht dieser Parallele wegen geht das Gebot: »Sondern sollst sie verbannen« – im Text der King James-Bibel: »thou shalt utterly destroy them« – im Laufe der Interpretationen unter. Es wurde praktisch von den talmudischen und mittelalterlichen Kommentatoren aufgehoben, die über seine künftigen Anwendungen debattierten. Wenn es einen neuen Exodus gäbe, würde es dann auch eine neue Eroberung geben – und würden die Bewohner des Gelobten Landes wieder in den Bann getan werden? Das Gebot sei, wie die Kommentatoren vorbrachten, nur auf spezifische Gruppen von Menschen anzuwenden, die im Text genannt würden, aber nicht mehr existierten und nicht mehr zu erkennen seien. Rabbi Jehuda beschwor den biblischen Bericht von der Herrschaft Hiskias (2. *Könige*, 18-19) herauf und schrieb: »Sanherib, der König von Assyrien, kam und verwirrte alle Völker.«[17] »Ihre Erinnerung ist längst verblichen«, meinte Maimonides.[18] Deshalb könne der Bann keine praktischen Folgen haben: In das Land zurückkehrende Juden würden nicht auf Hethiter oder Amoriter treffen. Rechtsgerichtete Zionisten, welche die Bibelpassage zitieren, hängen einem Fundamentalismus an, der mit der jüdischen Tradition im Einklang steht. Denn das Judentum ist –

wie die Exodus-Politik selbst – weniger im Text als vielmehr in den Interpretationen des Textes zu finden.

IV

Wenn moderne Zionisten zwischen der in der Exodus-Geschichte geöffneten »Tür der Hoffnung« und den Phantasien des politischen Messianismus zaudern, so träumen – allgemeiner gesprochen – Radikale und Revolutionäre vom Gelobten Land und auch vom verlorenen Garten Eden, von Kanaan und auch vom Paradies. Die Analyse des politischen Radikalismus als einer säkularisierten Form des messianischen Eifers (der sich auf den jeweils zweiten Begriff dieser Paare richte) hat in der neueren Forschung eine große Rolle gespielt.[19] Natürlich hat sie einen politischen Zweck: Sie verweist auf die Extravaganzen linker Ideologie; sie macht die *hybris* von Männern und Frauen deutlich, die sich zu tun anschikken, was nur Gott tun kann (wie wir zumindest früher glaubten); sie macht auf die unzweifelhaft Verrückten aufmerksam, die sich in den Extremen jeder revolutionären Bewegung aufhalten – und vielleicht gar nicht derartige Randerscheinungen sind, wie es scheint. Gewiß verbindet sich Wahrheit in dieser Diagnose mit politischen Zwecken. Die Umsetzung der messianischen Phantasie in weltliche Aktivität ist eine unbestreitbare Tatsache des modernen Zeitalters. Ideologen und militante Streiter träumen nicht nur von einer Art säkularem Paradies – die Vollkommenheit der Menschen in einer vollkommenen Gesellschaft –, sondern sie strecken geradezu die Hände nach ihm aus: nach Einigkeit, Harmonie, Freiheit, ewiger Seligkeit. Und sie tun dies in der festen Erwartung, daß das Paradies das notwendige und unvermeidliche Ende *unserer* Geschichte sei, wahrhaftig ein Gelobtes Land, gleichgültig, ob ein zu Verheißungen fähiger Gott existiert oder nicht. Das Ende der Geschichte ist auch die Abschaffung der Geschichte, die totale Vernichtung (nicht nur der Kanaaniter, sondern auch) der vertrauten Welt und möglicherweise der meisten ihrer Menschen – so daß die wenigen Überlebenden in das neue Jerusalem einziehen können. Messianismus überdauert religiösen Glauben, aber er bewegt sich immer noch in dem vom Glauben geschaffenen apokalyptischen Rahmen. Daher die Bereitschaft messianischer Streiter, die Schrecken, die sich vor den letzten Tagen abspielen, gutzuheißen oder sogar einzuleiten; daher die seltsame Politik des *Je schlechter, desto besser;* und daher die Bereitschaft, Sünden zu begehen und jedes Verbrechen um des Endes der Zeiten willen zu riskieren.

Es wäre jedoch ein gewaltiger Irrtum und eine historische Fehlinterpretation, wollte man behaupten, daß radikale Politik notwendig und stets diese Gestalt annehme. Unter Kritikern des politischen Messianismus ist dieser Irrtum verbreitet und sogar beabsichtigt. Wenn sie alle Arten radikalen Bestrebens in einen Topf werfen, dann deshalb, weil sie überall in ihrer Umgebung die Gefahr des apokalyptischen Fanatismus wahrnehmen, der sozusagen in jedem revolutionären Programm lauert. Talmon, zum Beispiel, verzeichnet zwei Formen oppositioneller Politik. Die erste ist traditionell, »das alte Modell des gesellschaftlichen Kampfes«, die Politik der Verzweiflung, die von keiner zusammenhängenden Beweisführung inspiriert wird. Sein Hauptmodell ist die bäuerliche *jacquerie:* »Die Unterdrückten mögen ein vages Gefühl der Unzufriedenheit genährt und nicht wenig gemurrt haben, aber sie besaßen kein Programm, keine Vision, kein alternatives System. Diese Erhebungen waren ... elementare Ausbrüche.«[20] Ich bezweifle, daß gesellschaftliche Aktion jemals ganz so »elementar«, so bar jeder Bedeutung für die Beteiligten ist. Doch sobald ein Programm, eine Vision, ein System vorliegt, entdeckt Talmon auch einen politischen Messianismus – als liefere die westliche Kultur kein anderes Vorbild für eine zielstrebige Politik. Laut Talmon erschöpfen sich die Möglichkeiten mit traditioneller Revolte und messianischer Revolution. In Wirklichkeit ist unsere Kultur weitaus reicher, und der moderne Radikalismus ist voraussagbar mannigfaltig, in sich widersprüchlich, ein Gewirr von gegensätzlichen Wahrnehmungen und Hoffnungen.

Die Exodus-Geschichte ist, wie ich wiederholt erklärt habe, die Quelle der messianischen Politik. John Canne, ein Vertreter der englischen Fünften Monarchie, erhob im Jahre 1657 den entscheidenden Anspruch. »Es ist eine allgemein anerkannte Meinung: In der Tatsache, daß der Herr Israel aus Ägypten hinausführte, zeichnete sich die Befreiung seiner Kirche und seines Volkes von aller Tyrannei und Unterdrückung in den letzten Tagen schattenhaft ab.«[21] *Schattenhaft* ist das richtige Wort, und die Schatten sind überlebensgroß: nicht Ägypten, sondern die Welt, nicht diese spezifische Tyrannei, sondern jede Tyrannei und Unterdrückung, nicht die Zukunft, sondern die Letzten Tage. Ohne seine Schatten bietet der Exodus jedoch die Hauptalternative zum Messianismus – wie Oliver Cromwells Auseinandersetzung mit der Fünften Monarchie andeutet. Denn der Exodus beginnt mit einem konkreten Übel und endet (oder endet nicht ganz) mit einem partiellen Erfolg. Allerdings schafft der partielle Erfolg ein Problem. Das Ende der Exodus-Geschichte ist so weit vom Ende der Zeiten entfernt, daß mehr als genug Platz für die Rückfälle und die erneute Unterdrückung bleibt, welche die Hoffnung des Exodus immer wieder in messianische Phantasterei verwandeln. Der Messianismus hat seine Ursprünge in der Enttäuschung, in all jenen Ländern Kanaan, die sich als »fast unfruchtbar« erweisen. Aber wer kann bezweifeln, daß es besser ist, in Kanaan als in Ägypten zu sein? Und daß es besser ist, auf eine weitere örtliche Befreiung hinzuarbeiten, als die Schrecken der »vorletzten« Tage zu riskieren? In jeder revolutionären Bewegung gibt es Männer und Frauen, die, mit Cromwell, sagen möchten: »Wir sind soweit ...« – und sie möchten genau wissen, wo sie sind. Für sie ist die Exodus-Geschichte der Auslöser der Exodus-Politik.

Gemessen am politischen Messianismus, steht der Exodus für eine vorsichtige und gemäßigte Politik. Gemessen an »der alten Kategorie des gesellschaftlichen Kampfes« oder der noch verbreiteteren Passivität und Ergebung der Unterdrückten, steht er für revolutionäre Politik. Aber diese Begriffe sind irreführend. Wie wir gesehen haben, kann die Exodus-Geschichte unterschiedlich interpretiert werden, und es ist denkbar, daß Sozialdemokraten und (einige) Bolschewiki mit ihr vertraut sind. Der biblische Text erzählt eine Geschichte von Auseinandersetzung und Kontroverse, und die Kommentatoren lesen den Text im selben Geiste; es gibt stets eine »weitere Interpretation«. Der politische Messianismus verhält sich ganz anders. Man kann die Zahl der Tage bis zu den Letzten Tagen endlos berechnen; es gibt stets eine weitere Berechnung; aber sobald eine Entscheidung getroffen worden ist, das Ende der Zeiten zu erzwingen, gibt es keinen Platz mehr für Auseinandersetzungen. Dann wird Politik absolut, sind Feinde satanisch und Kompromisse unmöglich. Die Exodus-Politik gleitet – manchmal – in Richtung Absolutismus, wie in einer Predigt, die Stephen Marshall im Jahre 1641 vor dem Unterhaus hielt: »Alle Menschen sind verflucht oder gesegnet, je nachdem, ob sie ihre Kräfte vereinen und dem Volk des HERRN die beste Hilfe gegen dessen Feinde leisten, oder ob sie es nicht tun.«[22] Fluch und Segnung stammen vermutlich aus dem *Deuteronomium*, aber Marshall kommt der späteren bolschewistischen Parole nahe: »Du bist entweder für uns oder gegen uns.« Nur wenn der Kampf als endgültig verstanden wird, läßt sich die Wahl so radikal einschränken. Für Männer und Frauen, die innerhalb der Exodus-Tradition arbeiten, hat die Wahl jedoch meist einen anderen Charakter. Es gibt keinen Endkampf, sondern eine lange Reihe von Entscheidungen, Rückfällen und Reformen. Der apokalyptische Krieg zwischen »dem Volk des HERRN« und »dessen Feinden« ist im Exodus nicht leicht zu finden.

Der Absolutismus wird, wie ich meine, schon durch das Wesen des Volkes wirksam gebannt; die Menschen sind verängstigt, halsstarrig, streitsüchtig und gleichzeitig Mitglieder des Bundes. Sie können nicht getötet (jedenfalls nicht alle) oder beiseitegestoßen oder auf wunderbare Weise geändert werden. Sie müssen geführt, gezüchtigt, verteidigt, durch Diskussionen überzeugt, ausgebildet werden – Tätigkeiten, die jede simple Kennzeichnung von »Feinden« untergraben und unmöglich machen. Die revolutionäre Idee eines heiligen Volkes bringt natürlich Feinde hervor, aber der

Kampf ist nie so melodramatisch, wie Marshalls Rezept vermuten läßt. Die Gegenwart des Volkes schafft Realismus, nicht nur weil einige Angehörige des Volkes hartnäckige und skeptische Realisten sind und schwierige Fragen stellen, etwa der Psalmist, der wissen möchte: »Ja, GOTT sollte wohl können einen Tisch bereiten in der Wüste?«, oder der Midrasch-Rabbi, der sich erkundigt: »Aus welchem Grund tötest du dreitausend Menschen an einem einzigen Tag?« Das Volk schafft auch Realismus, weil das Tempo des Marsches seinen Gefühlen angepaßt werden muß, weil man seinen Rebellionen entgegenzuwirken, Führer aus seiner Mitte zu wählen und das Gesetz vor seinen Ohren darzulegen hat. Es läßt sich nicht leicht in Freunde und Feinde einteilen; gerade seine Halsstarrigkeit ist irgendwie bewundernswert. Viele Hebräer fühlten sich immer noch zu Ägypten hingezogen, schrieb Benjamin Franklin in einem »Vergleich des Benehmens der alten Juden und der Anti-Föderalisten«, aber »im großen und ganzen scheint (aus dem Text) hervorzugehen, daß die Israeliten ein Volk waren, das seine neugewonnene Freiheit sorgsam hütete«. Sie seien nur unerfahren gewesen und, wie die Amerikaner, »von verschlagenen Männern bearbeitet worden ...«[23]

Dies ist ein typisches Beispiel der Exodus-Politik, aber es gibt keine hinreichende Vorstellung von der ernüchternden Kraft der biblischen Geschichte, denn Franklin war schwerlich geneigt, die Anti-Föderalisten als Vertreter des Antichrists zu betrachten. In den Schriften zeitgenössischer Befreiungstheologen wird die Kraft der Geschichte deutlicher. Man kann in ihren Büchern und Essays ein stetiges Drängen hin zu politischem Messianismus verspüren, aber da der Exodus der übliche Bezugspunkt für die Befreiung und das Gelobte Land das übliche Ziel ist, findet man auch ein starkes Gefühl innerweltlicher Komplexität. Exodus-Geschichte und -Politik hemmen die christliche Eschatologie. Und Befreiung ist keine Bewegung aus unserem entehrten Zustand hin zum messianischen Königreich, sondern aus »der Sklaverei, Ausbeutung und Entfremdung in Ägypten« hin zu einem Land, in dem die Menschen »menschenwürdig« leben können. Die Bewegung spielt sich in der historischen Zeit ab; die schwere und kontinuierliche Arbeit von Männern und Frauen ist für sie verantwortlich. Der beste der Befreiungstheologen warnt seine Leser ausdrücklich vor »jeder Absolutsetzung der Revolution« und vor »jeder Idolatrie hinsichtlich eines unvermeidlich mehrdeutigen menschlichen Erfolgs«.[24] Auch dies ist Exodus-Politik.

Pharaonische Unterdrückung, Befreiung, Sinai und Kanaan sind also immer noch zugegen – nachdrückliche Erinnerungen, die unsere Wahrnehmung der politischen Welt gestalten. Die »Tür der Hoffnung« ist immer noch geöffnet; die Dinge sind nicht das, was sie sein könnten – selbst wenn das, was sie sein könnten, sich nicht völlig von dem unterscheidet, was sie sind. Dies ist ein Zentralthema der westlichen Philosophie, stets gegenwärtig, wenn auch auf viele verschiedene Arten weiterentwickelt. Wir – oder viele von uns – glauben immer noch an das, was der Exodus uns zuerst über Sinn und Möglichkeit von Politik und über ihre angemessene Gestalt lehrte (oder was er uns nach allgemeiner Annahme lehrte): erstens, daß wo immer man lebt, wahrscheinlich Ägypten ist; zweitens, daß es einen besseren Ort, eine reizvollere Welt, ein Gelobtes Land gibt; und drittens, daß »der Weg zu dem Land durch die Wüste führt«.[25] Wir können von hieraus nur dorthin gelangen, wenn wir uns zusammenschließen und marschieren.

Anmerkungen

EINFÜHRUNG

1 Die dramatische Darstellung einer Exodus-Predigt spielt eine große Rolle bei Joseph R. Washington, *Black Religion,* Boston 1964, S. 99-102.
2 *Oliver Cromwells Letters and Speeches,* hg. von Thomas Carlyle, London 1893, Teil 8, S. 19, 34.
3 Ernst Bloch, *Atheismus im Christentum,* Frankfurt/Main 1968.
4 Lincoln Steffens, *Moses in Red: The Revolt of Israel as a Typical Revolution,* Philadelphia 1926.
5 J. Severino Croatto, *Exodus: A Hermeneutics of Freedom,* übers. von Salvator Attanasio, New York 1981, S. IV. Eine kritische Darstellung des Buches *Exodus* als des »privilegierten Textes« der Befreiungstheologie und eine ausführliche Bibliographie lateinamerikanischer Theologen siehe bei J. Andrew Kirk, *Liberation Theology: An Evangelical View from the Third World,* Atlanta 1976, bes. Kapitel 8 und 14.
6 *»Shout the glad tidings o'er / Egypt's dark sea, / Jehova has triumphed, his people / are free!«* Albert J. Raboteau, *Slave Religion: The »Invisible Institution« in the Antebellum South,* New York 1978, S. 219.
7 Collot d'Herbois, zitiert in Crane Brinton, *The Jacobins: An Essay in the New History,* New York 1930, S. 101.
8 Ein Überblick über einen Teil dieser Literatur findet sich in meinem Artikel »Exodus 32 and the Theory of Holy War: The History of a Citation«, *Harvard Theological Review,* Bd. 61, Januar 1968, S. 1-14; weitere detaillierte Hinweise im folgenden. Lewis Feuer, *Ideology and the Ideologists,* New York 1975, Kap. 1, enthält eine entschieden feindselige Beschreibung des »mosaischen revolutionären Mythos«, mit einigen historischen Beispielen für den Einfluß des Mythos.
9 Conrad Cherry, Hg., *God's New Israel: Religious Interpretations of American Destiny,* New York 1971, S. 65.
10 Siehe T. Dunbar Moodie, *The Rise of Afrikanerdom: Power, Apartheid, and the Afrikaner Civil Religion.* Berkeley 1975, Kapitel 1 und 2.
11 Croatto, a.a.O., S. 18.
12 Zur jüdischen Sicht der Interpretation siehe Gershom Scholems Essay »Revelation and Tradition as Religious Categories in Judaism«, in *The Messianic Idea in Judaism,* New York 1971, S. 282-303.
13 Frye, *The Great Code: The Bible and Literature,* New York 1982, S. XVII. Doch Fryes »Code« deutet auf eine zu komplizierte Architektur hin; ich habe mehr von den bescheideneren Auslegungen Robert Alters gelernt: *The Art of Biblical Narrative,* New York 1981.

14 Croatto, a.a.O., S. 20, 23.
15 *Mekilta De-Rabbi Ishmael,* übers. Jacob S. Lauterbach, Philadelphia 1935, 1: 141 (über *Exod.* 13, 1-4).
16 James B. Pritchard, Hg., *The Ancient Near East,* Bd. 1, *An Anthology of Texts and Pictures,* Princeton 1958, S. 16-24.
17 Zu Rom als einem gelobten Land siehe *Vergil, Aeneis,* 1, 234-97.
18 (Im Original: »hence not a story simply, but a history«) Siehe die Erörterung der einleitenden Kapitel des Buches *Exodus* bei Michael Fishbane, *Text and Texture: Close Readings of Selected Biblical Texts,* New York 1979, Kap. 4.
19 Irwin, »The Hebrews«, in H. an H. A. Frankfort et al., *The Intellectual Adventure of Ancient Man,* Chicago 1946, S. 318-19.
20 Siehe die Argumentation von Herbert N. Schneidau, *Sacred Discontent: The Bible and Western Tradition,* Baton Rouge 1946, aber auch die Einschränkungen von Alter, a.a.O., S. 24 ff.
21 Martin Buber, *Moses,* Heidelberg 1952, S. 103. Ich habe mich an die talmudische Numerierung des Murrens in der Abhandlung 'Arakin 15a, bekräftigt von Raschi, gehalten: siehe *Pentateuch with Rashi's Commentary,* übers. M. Rosenbaum und A. M. Silberman, Jerusalem 5733 (1973), zu *Num.* 14, 24. Für eine alternative Numerierung, die eine andere Interpretation erfordern würde, siehe F. V. Winnett, *The Mosaic Tradition,* Toronto 1949, Kap. 6.
22 *»Forth they come from grief and torment, / on they wend toward health and mirth«.* Morris, Selected Writings and Designs, hg. von Asa Briggs, Harmondsworth 1962, S. 114.
23 Siehe Frank E. Manuel, *Shapes of Philosophical History,* Stanford 1965, bes. Kap. 1, und Ernest Lee Tuveson, *Millennium and Utopia: A Study in the Background of the Idea of Progress,* Berkeley 1949.
24 Manuel, a.a.O., S. 2-4, 9.
25 Siehe zum Beispiel Norman Cohn, *The Pursuit of the Millennium: Revolutionary Messianism in Medieval and Reformation Europe and Its Bearing on Modern Totalitarian Movements,* New York 1961.
26 Saadya Gaon, *Book of Doctrines and Beliefs,* übers. Alexander Altmann, in *Three Jewish Philosophers,* Philadelphia 1960, S. 168-69.
27 W. D. Davies, *The Territorial Dimension of Judaism,* Berkeley 1982, S. 61; zum Wiedererscheinen des Manna siehe Joseph Klausner, *The Messianic Idea in Israel: From Its Beginning to the Completion of the Mishnah,* übers. W. F. Stinespring, New York 1955, S. 343-345.

Anmerkungen

KAPITEL I

1 Euripides, »Die Troerinnen«, in *Die Troerinnen. Elektra. Iphigenie im Taurerland,* drei Tragödien übertragen und erläutert von Ernst Buschor, München 1958, S. 68.
2 *Ibid.,* S. 42.
3 Joseph Vogt, *Sklaverei und Humanität,* Wiesbaden 1965, S. 16.
4 *Oxford English Dictionary*, Stichwort »oppress«.
5 Der Melier-Dialog des Thukydides liefert ein typisches Beispiel: »Wenn, unter dem Druck des Feindes, ihre offenbarsten Hoffnungen scheitern ...« (5.103.2). Ich bin meinem Kollegen Professor Glen Bowersock dankbar für seine Hilfe bei der Durchsicht von Wortgebräuchen des 5. und 4. Jahrhundert.
6 *OED*, Stichwort »oppress«.
7 Siehe die Erörterung in Nehama Leibowitz, *Studies in Shemot (Exodus),* übers. Aryeh Newman, Jerusalem 1981, 1, 39-48.
8 M. M. Austin und P. Vidal-Naquet, *Economic and Sociel History of Ancient Greece,* Berkeley 1977, S. 86-90.
9 Steffens, a.a.O., S. 51.
10 Gustavo Gutiérrez, *Theologie der Befreiung,* übers. Horst Goldstein, München 1973, S. 144.
11 *Midrash Rabbah: Exodus,* übers. S. M. Lehrman, hg. von H. Freeman und Maurice Simon, London 1983, 1,12 (S. 14-15).
12 *The Code of Maimonides, Book Twelve: The Book of Acquisition,* übers. Isaac Klein, New Haven 1951, S. 247 (5.1.6); zu heidnischen Sklaven, S. 281 (5.9.8). Siehe die Erörterung der letzteren Passage in Isador Twersky, *Introduction to the Code of Maimonides (Mishnah Torah),* New Haven 1980, S. 427-28.
13 Junius Brutus (Philip de Mornay?), *Vindiciae Contra Tyrannos: A Defense of Liberty Against Tyrants,* London 1689, S. 124.
14 E. E. Urbach, »The Laws Regarding Slavery as a Source for the Social History of the Period of the Second Temple, the Mishnah and Talmud«, *Papers of the Institute of Jewish Studies*, Bd. I. (1964), S. 39-40; siehe auch I. Mendelsohn, *Slavery in the Ancient Near East: A Comparative Study of Slavery in Babylonia, Assyria, Syria, and Palestine from the Middle of the Third Millennium to the End of the First Millennium,* London 1949.
15 *Life of Moses,* in *Philo*, übers. F. H. Colson, London 1935, 6:295.
16 Louis Ginzberg, *The Legends of the Jews,* Bd. 2, *From Joseph to the Exodus,* übers. Henrietta Szold, Philadelphia 1910, S. 247.
17 Girolamo Savonarola, *Prediche sopra l'Esodo,* Rom 1955-56, 2 Bde., Milton, *Of Reformation, Tenure of Kings and Magistrates, Ready and*

Easy Way to Establish a Free Commonwealth, Einzelheiten zu Predigten von George Duffield, Nicholas Street, Samuel Langdon, James Dana siehe unten.

18 Hannah Arendt, *Über die Revolution,* München 1963, bes. 2. Kap.

19 (John Lilburne), *England's Birth-Right Justified,* nachgedruckt in *Tracts on Liberty in the Puritan Revolution: 1638-1647,* hg. von William Haller, New York 1933, 3:302.

20 Croatto, a.a.O., S. 18 (Hervorhebung im Original).

21 Schneidau, a.a.O., S. 204-6; siehe Millard C. Lind, *Yahweh Is a Warrior: The Theology of Warfare in Ancient Israel,* Scottdale 1980, S. 87-88 und *passim,* über die religiösen und politischen Gründe für die Ablehnung des Krieges mit Kampfwagen durch die Israeliten.

22 Die Bedeutung steht nun seit langem fest: Vergleiche die Passage in Cervantes' *Der scharfsinnige Ritter Don Quixote von der Mancha,* wo Sancho Pansa von »Camachos Fest und köstlichem Schmaus« fortreitet und »die Fleischtöpfe Ägyptens« hinter sich läßt, »obschon er sie im Herzen mitnahm« – übers. Konrad Thorer, Frankfurt/Main 1955, S. 203.

23 Bloch, a.a.O., S. 61.

24 Savonarola, a.a.O., 1:159 (Predigt 6). Ich bin Luisa Saffioti dankbar, die mir eine Übersetzung der Predigten Savonarolas lieferte.

25 Ginzberg, a.a.O., 2:251; siehe *Midrash Rabbah: Exodus,* 1:18 (S. 25).

26 Josephus, *Of the Antiquities of the Jews* in *The Famous and Memorable Works of Josephus,* übers. Thomas Lodge, London 1620, S. 41 (2.9.1.).

27 Schneidau, a.a.O., bes. Kap. 3.

28 *Passover Haggadah,* übersetzt und kommentiert von Joseph Elias, Brooklyn 1981, S. 145.

29 *Midrash Rabbah: Exodus,* 16:4 (S. 210); ich benutze die Übersetzung aus Leibowitz, a.a.O. S. 264.

30 *Midrash Rabbah: Exodus,* 1:8 (S. 10).

31 Savonarola, a.a.O., 1:77 (Predigt 3).

32 *Midrash Rabbah: Exodus,* 1:8 (S. 10), über Beschneidung; Yalkut Shimoni (ein Midrasch aus dem 12. Jahrhundert), zitiert in Leibowitz, a.a.O., S. 2, über die Amphitheater.

33 *Haggadah,* hg. von Elias, S. 68, 106.

34 Laut Maimonides erkannte GOTT die sinnliche Faszination, welche die ägyptische Abgötterei auf die Israeliten ausübte, und paßte Sich den Umständen an: Die Praxis ritueller Opferungen sei ein göttliches Zugeständnis gewesen, »damit (das Volk) die Art Bräuche beibehalte, an die es gewöhnt war ...« Diese Praxis sei erst allmählich in die reine Anbetung GOTTES verwandelt worden: *The Guide of the Perplexed,* übers. Shlomo Pines, Chicago 1963, 2:525-31 (3.32.69b-73a). Siehe die Erör-

terung in Amos Funkenstein, »Maimonides: Political Theory and Realistic Messianism«, in *Miscellanea Mediaevalia,* Bd. 2: *Die Mächte des Guten und Bösen,* Berlin 1977, S. 81-103; und unten über die Politik der stufenweisen Veränderung die Ausführungen im Kapitel II.

35 Schneidau schließt aus *Deuteronomium* 7,15 – »keine böse Seuche der Ägypter ... *die du erfahren hast* ...« –, daß es die Israeliten waren, die in Ägypten gelitten hatten (a.a.O., S. 148, Anm.). Es gibt eine jüdische Legende ähnlichen Inhalts; siehe unten, Kap. 3.

36 Marshall, *A Sermon Before the Honorable House of Commons,* London 1641, S. 31; William Perkins, *The Works,* London 1616, 2:422.

37 *The Ready and Easy Way to Establish a Free Commonwealth,* 2. Auflage 1660, in *Complete Prose Works of John Milton,* Bd. 7, hg. von Robert W. Ayers, New Haven 1980, S. 463.

KAPITEL II

1 Hecht, »Exile«, in *Millions of Strange Shadows,* New York 1977, S. 45.

2 Savonarola, a.a.O., 1:157-58 (Predigt 6) und 1:189-90 (Predigt 7); siehe die Erörterung der zweiten dieser Predigten in *The Letters of Machiavelli,* übers. Allan Gilbert, New York 1961, S. 85-89 (Brief Nr. 3).

3 Ich folge hier der Argumentation von Nehama Leibowitz, a.a.O., 1: 39-46; siehe *Midrash Rabbah: Exodus,* 1:29 (S. 36-37), und *Pirke Aboth: The Ethics of the Talmud,* übers. R. Travers Herford, New York 1962, 2:6 (S. 46).

4 Elkins, *Slavery: A Problem in American Institutional and Intellectual Life,* New York 1963, Kap. 3.

5 *Midrash Rabbah: Exodus,* 5:14 (S. 93).

6 *Pentateuch with Rashi's Commentary,* a.a.O., zu *Exod.* 5,1.

7 Siehe Ibn Ezra zu *Exod.* 13,17, zitiert in Leibowitz, a.a.O., S. 235, 244.

8 Savonarola, a.a.O., 2:148 (Predigt 17).

9 Gad Hitchcock, zitiert in Nathan O. Hatch, *The Sacred Cause of Liberty: Republican Thought and the Millennium in Revolutionary New England,* New Haven 1977, S. 63.

10 Croatto, a.a.O., S. 17.

11 Joseph B. Soleveitchik, *Reflections of the Rav,* adaptiert von Abraham R. Besdin, Jerusalem 1979, S. 190.

12 Siehe das Gedicht von Joseph Albardani (im Bagdad des 10. Jahrhunderts), »The Three Factions«, in *The Penguin Book of Hebrew Verse,* hg. von T. Carmi, Harmondsworth 1981, S. 259-60; außerdem Ginzberg, a.a.O., Bd. 3, *Moses in the Wilderness,* übers. Paul Radin, S. 15.

13 Croatto, a.a.O., S. 17.
14 Georg Wilhelm Friedrich Hegel, *Der Geist des Christentums*, Schriften 1796-1800, Frankfurt/Main, Berlin 1978, S. 406-07.
15 Zitiert in Leibowitz, a.a.O, S. 240.
16 Owen, *Works*, hg. von W. H. Goold, New York 1851, 8:151.
17 Nicholas Street, »The American States Acting Over the Part of the Children of Israel in the Wilderness ...«, nachgedruckt in Conrad Cherry, Hg., *God's New Israel: Religious Interpretations of American Destiny*, New York 1971, S. 69.
18 John Sturdy, *The Cambridge Bible Commentary: Numbers*, Cambridge 1976, S. 84.
19 Siehe die Erörterung in Nehama Leibowitz, *Studies in Bamidbar (Numbers)*, übers. Aryeh Newman, Jerusalem 1980, S. 94-103; *Pentateuch with Rashi's Commentary*, zu Num. 11, 5; Ginzberg, a.a.O., 3:246.
20 Rousseau, *The Government of Poland*, übers. Willmoore Kendall, Indianapolis 1972, S. 6.
21 *The Guide of the Perplexed*, 1:526-28 (3.32.70a und b).
22 Leibowitz, a.a.O., S. 555.
23 Karl Marx, *Die Klassenkämpfe in Frankreich 1848-1850*, in: Marx/Engels, Werke, Bd. 7, Berlin 1982, S. 179.
24 Judah Halevi, *Kuzari*, hg. von Isaak Heinemann, in *Three Jewish Philosophers*, Philadelphia 1960, S. 48 (1:97).
25 *Pentateuch with Rashi's Commentary*, zu *Exod*. 32,6.
26 Ronald E. Clements, *The Cambridge Bible Commentary: Exodus*, Cambridge 1972, S. 205-6. Vgl. U. Cassuto, *A Commentary on the Book of Exodus*, übers. Israel Abrahams, Jerusalem 1967, S. 408-9, der die Integrität des Textes verteidigt.
27 *Life of Moses*, in *Philo*, a.a.O., 6:529; John Lightfoot, *An Handful of Gleanings out of the Book of Exodus*, London 1643, S. 35; Steffens, a.a.O., S. 103.
28 Leivy Smoler und Moshe Aberbach, »The Golden Calf Episode in Postbiblical Literature«, in *Hebrew Union College Annual*, Bd. 39, (1968) S. 91-116.
29 *Midrash Rabbah: Exodus*, 43:7 (S. 502-3).
30 Zitiert in Raboteau, a.a.O. S. 319-20.
31 Gutiérrez, a.a.O., S. 144-45.
32 Siehe zum Beispiel Samuel Faircloth, *The Troublers Troubled*, London 1641, bes. S. 22 ff., und Francis Cheynell, *Sion's Momento and God's Alarum*, London 1643, S. 19: »Dies sind säubernde Zeiten ...«
33 Machiavelli, *The Discourses*, übers. Leslie J. Walker, bearbeitet von Brian Richardson, Harmondsworth 1970, S. 486 (3:30). Machiavelli

fährt fort: »Dieses Erfordernis wurde von Bruder Girolamo Savonarola klar erkannt.«

34 Zitiert aus *Tanna debei Eliyahu*, in Leibowitz, a.a.O., S. 621.

35 Ramban (Nachmanides), *Commentary on the Torah: Exodus*, übers. Charles B. Chavel, New York 1973, S. 567-69 (zu Exod. 32,27); ich zitiere die Übersetzung in Leibowitz, a.a.O., S. 623.

36 Clements, a.a.O., S. 208-9.

37 Josephus, a.a.O., S. 60 (2:5:7).

38 *The Political Writings of St. Augustine*, hg. von Henry Paolucci, Chicago 1962, S. 195 (Brief 93).

39 *Summa Theologica*, 2a, 2ae, Q.64, Artikel 3 und 4.

40 Grotius, *The Law of War and Peace*, übers. Francis W. Kelsey, Indianapolis o. J., S. 504 (2:22.39).

41 Owen, a.a.O., 8:156.

42 Calvin, *Sermons on the Fifth Book of Moses*, London 1583, S. 1203.

43 Knox, *Works*, hg. von D. Laing, Edinburgh 1846-48, 3:311-12.

44 William Bridge, *A Sermon Preached Before the House of Commons*, London 1643, S. 18.

45 *Oliver Cromwell's Letters and Speeches*, a.a.O., Teil 8, S. 34.

46 Faircloth, a.a.O., S. 24-25.

47 Steffens, a.a.O., S. 108. Ich sollte anmerken, daß Croatto revolutionäre Gewalt nicht durch den Hinweis auf Mosis Säuberung in *Exodus* 32, sondern auf Gottes weit größere Gewaltanwendung gegen die Ägypter – die Plagen und die Vernichtung am Meer – verteidigt: »Die befreiende Tat ist notwendigerweise von Gewalt geprägt ... oder sie wird von nicht allzu sanften Mitteln der Überredung vorbereitet ...« (Croatto, a.a.O., S. 29-30). In ähnlicher Weise nennt Steffens die letzte der Plagen »Gottes roten Terror« (S. 83). Aber ihn interessieren vor allem die »Säuberungen« bei den Hebräern, während die Tötung der ägyptischen Erstgeborenen in den Hintergrund rückt. Die Plagen spielen eine zentralere Rolle für Croatto, welcher der radikalste der Befreiungstheologen zu sein scheint. Siehe hingegen Gutiérrez' Ablehnung von Gewalt, a.a.O., S. 235, Anm. 3.

48 Buber, a.a.O., S. 42. Vgl. W. I. Lenin, »Was tun?« (1902), in: ders., *Ausgewählte Werke in zwei Bänden*. Moskau 1946, Bd. 1, S. 203.

49 Ramban (Nachmanides), a.a.O., S. 575 (zu Exod. 33,7).

50 Steffens, a.a.O., S. 133.

51 *Life of Moses*, in *Philo*, a.a.O., 6:457; Machiavelli, *Der Fürst*, Kap. 6; Rousseau, a.a.O., S. 6.

52 Siehe Daniel Jeremy Silver, *Images of Moses*, New York 1982, Kap. 6.

53 Ginzberg, a.a.O., 3:242.

KAPITEL III

1 Delbert R. Hillers, *Covenant: The History of a Biblical Idea*, Baltimore 1969, Kap. 2; George E. Mendenhall, *Law and Covenant in Israel and the Ancient Near East*, Pittsburgh 1955; John Bright, *Covenant and Promise: The Prophetic Understanding of the Future in Pre-Exilic Israel*, Philadelphia 1976.
2 Siehe Passover Haggadah, a.a.O., S. 107, 124; *Midrash Rabbah: Exodus*, a.a.O., 14:3 (S. 157); George Foot Moore, *Judaism in the First Centuries of the Christian Era: The Age of the Tannaim*. Cambridge 1962, 2:362-63.
3 Spinoza, *Theologisch-politischer Traktat*, übertragen und eingeleitet von Carl Gebhardt, Hamburg 1955, S. 298 f.
4 *Midrash Rabbah: Exodus*, 28:2 (S. 332); die Hervorhebung stammt vom Übersetzer.
5 Ginzberg, a.a.O., Bd. 3, *Moses in the Wilderness*, S. 80 ff.
6 *Mekilta De-Rabbi Ishmael*, a.a.O., 2:229-30 (zu *Exod.*, 20,2).
7 Simon Ashe, zitiert in John F. Wilson, *Pulpit in Parliament: Puritanism During the English Civil Wars, 1640-1648*, Princeton 1969, S. 174.
8 Ich folge hier den Ausführungen von Hillers, a.a.O., bes. Kap. 5.
9 Saadya Gaon, a.a.O., S. 177.
10 Wilson, a.a.O., S. 199. Zur Beschreibung eines ähnlichen Unterschiedes in der jüdischen Philosophie siehe David Hartmans Essay »Sinai and Messianism«, in *Joy and Responsibility: Israel, Modernity, and the Renewal of Judiasm*, Jerusalem 1978, S. 232-58.
11 Mekilta De-Rabbi Ishmael, a.a.O., 2:207 (zu *Exod.*, 19,3-9).
12 Ginzberg, a.a.O., 3:89.
13 Die beste Untersuchung liefert Perry Miller, *The New England Mind: The Seventeenth Century*, Cambridge 1954, Kap. 13.
14 Siehe die Erörterung der »Willensfreiheit« in Saadya Gaon, a.a.O., S. 118-21. Aber eine berühmte Midrasch-Erzählung schränkt die Idee der Freiheit ein: »Nicht allein Israels freier Wille war verantwortlich, als es sich bereit erklärte, die Thora anzunehmen, denn als das ganze Volk ... sich dem Berg Sinai näherte, hob Gott den Berg in die Höhe und hielt ihn über die Köpfe der Menschen ... und sprach zu ihnen: ›Wenn ihr die Thora annehmt, ist es gut; sonst werdet ihr euer Grab unter diesem Berg finden.‹« Ginzberg, a.a.O., 3:92; vgl. *Pentateuch with Rashi's Commentary*, a.a.O., 5733 (1973), zu *Exod.* 19,17. Ich meine, daß es sich hier, zumindest am Anfang, um volkstümliche Ironie handelt, aber es wirft eine schwierige Frage auf: Wie kann man einen allmächtigen Gott *nicht* fürchten?
15 Saadya Gaon, a.a.O., S. 116.

16 Zitiert in Miller, a.a.O., S. 426; Hervorhebung vom Übersetzer.

17 Der Umfang der Literatur ist gewaltig; für eine kurze Zusammenfassung siehe Walter Ullmann, *The Individual and Society in the Middle Ages*, Baltimore 1966, S. 150-51; für einen allgemeinen Überblick siehe Francis Oakley, »Legitimation By Consent: The Question of the Medieval Roots«, in *Viator: Medieval and Renaissance Studies*, Bd. 14, (1963), S. 303-35.

18 Sota 37b, zitiert in Gordon Freeman, »The Rabbinic Understanding of Covenant as a Political Idea«, in *Kinship and Consent: The Jewish Political Tradition and Its Contemporary Uses*, hg. von Daniel J. Elazar, Ramat Gan 1981, S. 68.

19 *The Federal and State Constitutions*, hg. von F. N. Thorpe, Washington, D.C. 1907, 3:1888-89.

20 Hillers, a.a.O., S. 78-79.

21 *The Passover Haggadah*, hg. von Nahum Glatzer, New York 1969, S. 49 (Hervorhebung im Original).

22 Zitiert in Nehama Leibowitz, *Studies in Devarim (Deuteronomy)*, übers. Aryeh Newman, Jerusalem 1980, S. 298.

23 *Ibid.*, S. 299-300.

24 *Haggadah*, hg. von Elias, a.a.O., S. 147.

25 Hillers, a.a.O., S. 80-81. Im Judentum herrscht ein Spannungsverhältnis zwischen einer einfachen Erblichkeits- und einer komplexen Vertragsanschauung religiöser Verpflichtung. Dies ist eines der Hauptthemen von *Kinship and Consent:* siehe den ersten Essay von Daniel J. Elazar, »Covenant as the Basis of the Jewish Political Tradition«, a.a.O., S. 41-42.

26 J. T. McNeill, *The History and Character of Calvinism*, New York 1954, S. 142.

27 Croatto, a.a.O., S. 23 (Hervorhebung im Original).

28 Gutiérrez, a.a.O. S. 276.

29 Hillers, a.a.O., S. 125 ff. Zu den Propheten und dem Bund siehe auch Bright, a.a.O., bes. Kap. 3.

30 Exzerpiert in *Puritanism and Liberty: Being the Army Debates (1647-49) ... with Supplementary Documents*, hg. von A. S. P. Woodhouse, London 1938, S. 208.

31 Junius Brutus (Philip de Morney?), a.a.O., S. 12.

32 *Ibid.*, S. 26-27.

33 Goodman, *How Superior Powers Ought to Be Obeyed*, New York 1931 (1558), S. 146-185.

34 Gutiérrez, a.a.O., S. 302.

KAPITEL IV

1 Siehe Karl August Wittfogel, *Die orientalische Despotie. Eine vergleichende Untersuchung totaler Macht,* Berlin-Frankfurt-Wien; der Autor hat sehr viel über das pharaonische Ägypten zu sagen, übersieht jedoch die biblische Verknüpfung von Bewässerung und Unterdrükkung. Steffens hebt diese Verknüpfung hervor: a.a.O., S. 131.
2 Lenin, a.a.O., S. 102.
3 Blaise Pascal, *Pensées. Über die Religion und über einige andere Gegenstände,* übertragen und herausgegeben von Ewald Wasmuth, Heidelberg 1978, S. 259 (Fragment 571 in der Brunschwigcschen Zählung).
4 Abiezer Coppe, zitiert in Christopher Hill, *The World Turned Upside Down: Radical Ideas During the English Revolution,* New York 1972, S. 273-74.
5 Siehe zum Beispiel Samuel Langdon, *The Republic of the Israelites an Example to the American State,* in Conrad Cherry, Hg., *God's New Israel: Religious Interpretations of American Destiny,* Englewood Cliffs, 1971, S. 99, 105.
6 Gutiérrez, a.a.O., S. 158-59.
7 W. D. Davies, *The Territorial Dimension of Judaism,* Berkeley 1982, Kap. 1.
8 Siehe die vorzügliche Erörterung des Exodus in Leo Baeck, *Dieses Volk,* Jüdische Existenz, Frankfurt/Main 1955, Kap. 1.
9 Ginzberg, *The Legends of the Jews,* Bd. 3, *Moses in the Wilderness,* a.a.O., S. 87.
10 Siehe die Erörterung in Nehama Leibowitz, *Studies in Bamidbar (Numbers),* übers. Aryeh Newman, Jerusalem 1980, S. 121-28.
11 Ginzberg, *Legends of the Jews,* a.a.O., 3:290-91; siehe die Betrachtung dieser Passage in Robert J. Milch, »Korah's Rebellion«, *Commentary* Bd. 69, H. 2 (Februar 1980), S. 52-56.
12 *Midrash Rabbah: Numbers,* übers. Judah J. Slotki, London 1983, Bd. 2, 18:6, S. 714-15.
13 *Areopagitica* (1644), in *Complete Prose Works of John Milton,* Bd. 3, hg. von Ernest Sirluck, New Haven 1980, S. 555-56.
14 *Oliver Cromwell's Letters and Speeches,* a.a.O., Teil 8, S. 355.
15 Brewer, *American Citizenship,* New York 1902, S. 79.
16 Thomas Mann, *Joseph und seine Brüder,* Frankfurt/M. 1964, S. 1102-03.
17 Bloch, a.a.O., S. 126.
18 *Ibid.,* S. 110.
19 Dies ist, zumindest teilweise, das, was Eduard Bernstein verspürt haben muß, als er schrieb, daß ihm die Bewegung alles und »das, was man gemeinhin das Endziel des Sozialismus nenne, nichts sei«. *Die Voraus-*

setzungen des Sozialismus und die Aufgaben der Sozialdemokratie, hg. von Günther Hillmann, Reinbek bei Hamburg 1969, S. 11.

20 Siehe Klausner, a.a.O., S. 19-21, 28-32.

21 Frye, a.a.O., S. 571.

22 Es ist wichtig, mit Klausner das messianische Zeitalter von der künftigen Welt zu unterscheiden: Das erstere hat eine begrenzte Dauer (man kann sich über seine Länge streiten), während das letztere ewig dauert. Ich halte die Aussage immer noch für korrekt, daß das messianische Zeitalter, so wie es gewöhnlich geschildert wird, *keine Geschichte* besitzen wird; man wird keinen Grund haben, Ereignisse aufzuzeichnen oder voneinander zu unterscheiden. Klausner, a.a.O., Teil 3, Kap. 2.

23 Sanhedrin 98a, zitiert in Gershom Scholem, »Toward an Understanding of the Messianic Idea in Judaism«, in *Messianic Idea in Judaism*, New York 1971, S. 13.

24 *Ibid.*, S. 16.

25 Zitiert in Klausner, a.a.O., S. 340-41.

26 Scholem, a.a.O., S. 1-36.

27 Berakhot 34b, zitiert in Klausner, a.a.O., S. 404; Scholem, a.a.O., S. 18.

28 Zitiert in Marc Saperstein, *Decoding the Rabbis: A Thirteenth Century Commentary on the Aggadah*, Cambridge 1980, S. 105.

29 *The Code of Maimonides, Book Fourteen: The Book of Judges*, übers. Abraham M. Hershman, New Haven 1949, S. 240, 242 (5.12.1,4); ich habe zitiert nach der Übersetzung in Scholem, a.a.O., S. 29. Siehe Funkenstein, a.a.O., S. 97 ff., der erklärt, daß »das messianische Zeitalter des Maimonides in all seinen Aspekten ein Teil der Geschichte ist, das Schlußkapitel in der langen Geschichte der Monotheisierung der Welt« (S. 101) – einer Geschichte, die mit dem Exodus beginne und stets einem stufenweisen Prozeß unterworfen gewesen sei.

30 Saperstein, a.a.O., S. 111.

31 Siehe Ginzberg, a.a.O., 3:466 ff., und »The Death of Moses«, eine Reihe anonymer Gedichte aus dem 8. bis zum 11. Jahrhundert, in *The Penguin Book of Hebrew Verse*, hg. von T. Carmi, Harmondsworth 1981, S. 266-74.

32 Daniel Jeremy Silver, *Images of Moses*, New York 1982, S. 20 sowie Kap. 1 insgesamt.

33 *Pentateuch with Rashi's Commentary*, a.a.O., zu *Exod.*, 18,21.

34 Die Spannung wird am deutlichsten im Aufstand Dathans und Abirams, der Führer von Rubens Stamm (des Erstgeborenen Jakobs): *Num.*, 16,1-33.

35 Siehe zum Beispiel John Eliot, *The Christian Commonwealth; or, The Civil Policy of the Rising Kingdom of Jesus Christ*, London 1659; das Buch ist einer Interpretation von *Exod.* 18 gewidmet.

36 Spinoza, a.a.O., Kap. 17, S. 300.

37 Paine, *Common Sense*, hg. von Issac Kramnick, Harmondsworth 1982, S. 76.

38 Zitiert in Nathan O. Hatch, *The Sacred Cause of Liberty: Republican Thought and the Millennium in Revolutionary New England*, New Haven 1977, S. 159.

39 Langdon, a.a.O., S. 93 ff. Siehe eine frühere Predigt Langdons vor dem Provinzkongreß von Massachusetts im Jahre 1775: »Jene, welche das göttliche Recht von Königen rühmen, sollten bedenken, daß die einzige Regierungsform, die einen wirklichen Anspruch darauf hatte, von Gott eingerichtet worden zu sein, so weit davon entfernt war, die Idee eines Königs einzuschließen, daß es ein Schwerverbrechen für Israel war, wenn es darum bat, in dieser Hinsicht wie andere Völker zu sein ...«, zitiert in Joseph Gaer und Ben Siegel, *The Puritan Heritage: America's Roots in the Bible*, New York 1964, S. 50-51.

40 Dies ist einer der Hauptpunkte von Scholems Arbeit »Toward an Understanding«, a.a.O.

SCHLUSS

1 Frank und Fritzie Manuel, *Utopian Thought in the Western World*, Cambridge 1979, S. 687.

2 J. L. Talmon, *The Origins of Totalitarian Democracy*, New York 1960, S. 1-13.

3 MacDonald, *The Socialist Movement*, New York 1911, S. 246.

4 Zitiert in Amos Elon, *Herzl*, New York 1975, S. 16.

5 *Selected Essays of Ahad Ha-Am*, übers. Leon Simon, 1970, S. 320, 323.

6 »Let Us Not Betray Zionism«, in *Unease in Zion*, hg. von Ehud Ben Ezer, New York 1974, S. 329.

7 Megillah 17b, zitiert in Uriel Tal, »The Land and the State of Israel in Israeli Religious Life«, *Proceedings of the Rabbinicial Assembly*, Bd. 38, (1976), S. 9.

8 David Biale, *Gershom Scholem: Kabbalah and Counter-History*, 2. Aufl., Cambridge 1982, S. 101.

9 Geula Cohen, *Woman of Violence*, übers. Hillel Halkin, New York 1966, S. 269-70.

10 Rabbi Jehuda Amital, zitiert in Tal, a.a.O., S. 10-11.

11 »The Arab Question as a Jewish Question«, in *Unease in Zion*, a.a.O., S. 313. Siehe auch David Hartman, »Sinai and Messianism«, in *Joy and*

Responsibility: Israel, Modernity, and the Renewal of Judaism, Jerusalem 1978, S. 232-58.
12 Rabbi O. Hadja, zitiert in Tal, a.a.O., S. 10.
13 Zitiert in Biale, a.a.O., S. 100.
14 Scholem, »Zionism – Dialectic of Continuity and Rebellion«, in *Unease in Zion*, a.a.O., S. 269-70.
15 Biale, a.a.O., S. 104.
16 Siehe Davies, a.a.O., S. 15-16, und Dan Jacobson, *The Story of the Stories: The Chosen People and Its God*, New York 1982, S. 31 ff.
17 Yadayim 4.4 und Berakhot 28a, zitiert in Simon, »Arab Question«, a.a.O., S. 314.
18 *The Code of Maimonides*, a.a.O., S. 217 (5.5.4).
19 Siehe zum Beispiel Talmon, *Totalitarian Democracy*, a.a.O., und *Political Messianism: The Romantic Phase*, New York 1960; Cohn, a.a.O.; Guenter Lewy, *Religion and Revolution*, New York 1974; und Feuer, a.a.O.
20 *Political Messianism*, a.a.O., S. 26.
21 John Canne, *The Time of the End*, London 1657, S. 212.
22 Marshall, *Meroz Cursed*, London 1641, S. 9.
23 *The Works of Benjamin Franklin*, hg. von John Bigelow, New York 1904, Bd. 11, S. 383, 386.
24 Gutiérrez, a.a.O., S. 276, 233; siehe auch die kritische Untersuchung des »politisch-religiösen Messianismus«, S. 232.
25 Davies, a.a.O., S. 60.

Über den Autor

Michael Walzer, laut *Times Literary Supplement* »einer der brillantesten Vertreter einer neuen Generation amerikanischer politischer Philosophen«, war Professor für Sozialwissenschaften an den Universitäten Princeton und Harvard und lehrt heute am Institute for Advanced Study, Princeton/New Yersey. Er hat zahlreiche Bücher zur politischen Philosophie verfaßt, darunter eine einflußreiche Theorie sozialer Gerechtigkeit, *Spheres of Justice* (New York 1983). In deutscher Sprache erschien *Gibt es einen gerechten Krieg?* (Stuttgart 1982). Walzer kann als Vertreter einer undogmatischen intellektuellen Linken gelten und ist u. a. Mitherausgeber der Zeitschrift *Dissent.*